CONTENTS

PRÉLUDE: *Bonjour, les Français!*

INTRODUCTION: What you will do and learn in *Prélude*

LESSON OPENERS

You will be introduced to a number of young French people involved in school and leisure-time activities. You will also learn something about the weather in France.

NOTES CULTURELLES

You will learn that the French have different ways of greeting people. You will learn about France and some of its important cities—Nice, Tours, Annecy, and Dijon. You will also learn about French holidays and the French money system.

ACTIVITÉS

You will learn how: *page in your textbook*

PRÉLUDE BONJOUR, LES FRANÇAIS!

Leçon 1 Bonjour!

1. BONJOUR!

The following people meet in the street. How do you think they will greet each other? Fill in the bubbles with the appropriate expressions.

| Jacqueline | Henri | Madame Dumas | Paul | Mademoiselle Lucas | Monsieur Vallée |

2. LES ÉTUDIANTS FRANÇAIS (*The French students*)

The following French students are visiting this country on an exchange program. Write the English equivalents of their first names.

André	*Andrew*	Jeanne	*Joan*
Antoine		Monique	
Henri		Marie	
Matthieu		Suzanne	
François		Hélène	
Alain		Émilie	
Philippe		Sylvie	
Pierre		Lucie	
Laurent		Béatrice	
Jean		Laure	
Luc		Véronique	
Jacques		Thérèse	

Note: Read the French girls' names again. Which letter do they all end in? _____

3. GÉOGRAPHIE

How good are you at geography? The following American cities have something in common—their names are of French origin. Write the names of the cities on the map below.

Bâton Rouge (Louisiane)   Duluth (Minnesota)   Mobile (Alabama)
Beaumont (Texas)   La Nouvelle-Orléans (Louisiane) Montpelier (Vermont)
Des Moines (Iowa)   Louisville (Kentucky)   Terre Haute (Indiana)

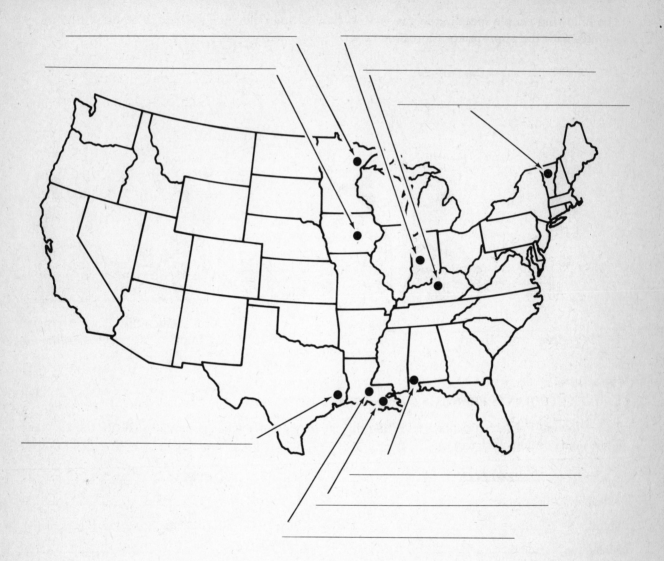

4. EN FRANÇAIS (*In French*)

Write the French equivalents of the following expressions.

1. *Hi!* _____

2. *Hello!* _____

3. *Good-by!* _____

4. *Who is it?* _____

5. *It's Henri.* _____

6. *Here's Anne.* _____

PRÉLUDE   BONJOUR, LES FRANÇAIS!

Leçon 2   Une coïncidence

1.   DIALOGUE

Imagine that you are spending a year in Paris. It's your first day of school there. Philippe, a French student, talks to you. Answer him.

Philippe: Comment t'appelles-tu?

Toi: _____

Philippe: Ça va?

Toi: _____

2.   ÇA VA?

How do you think the following people would answer the question "Ça va?"

3. LA CONVENTION INTERNATIONALE (*The international convention*)

The following people have registered for an international meeting. Imagine that you are the social director of the hotel where the convention is being held. You want to arrange a reception for the participants of French origin.

Read the list of names carefully. Circle all the names that are of French origin. Then write these names in the box.

Ashworth
Bellamy
Bellanger
Bernier
Blanchard
Camus
Carter
Domínguez
Dumas
Dupont
Duval
Eckenspiller
Guyon
Harris
Lafleur
Leblanc
Leclerc
López
Maréchal
Martineau
Masson
Mateos

Moreau
Mueller
Norton
Pérez
Perreault
Planck
Rémy
Rodríguez
Rousseau
Santos
Schmidt
Simonard
Smith
Suárez
Tcherkov
Thibaudeau
Untermeyer
Vallée
Villette
Wertheimer
Young

Bellanger

PRÉLUDE BONJOUR, LES FRANÇAIS!

Leçon 3 Combien?

1. NUMÉROS DE TÉLÉPHONE

Write your own phone number and the numbers of two friends or relatives. First write the numbers in the boxes using numerals. Then write out these numbers in French.

☐ ☐ ☐ – ☐ ☐ ☐ ☐   / _____ / _____ / _____ /–/ _____ / _____ / _____ / _____ /

☐ ☐ ☐ – ☐ ☐ ☐ ☐   / _____ / _____ / _____ /–/ _____ / _____ / _____ / _____ /

☐ ☐ ☐ – ☐ ☐ ☐ ☐   / _____ / _____ / _____ /–/ _____ / _____ / _____ / _____ /

2. LOTO (*Bingo*)

Imagine that you are playing **Loto** with the two cards below. The following numbers are called. If you have these numbers on your cards, circle them.

**dix-huit / vingt-sept / quarante-deux / onze / vingt / treize /
cinquante et un / vingt-quatre / cinq / soixante / neuf / quarante-cinq /
trente-neuf / quatorze / deux / six / seize / trente et un /
cinquante-six / dix-sept / dix / cinquante / huit / vingt-deux /
cinquante-quatre / quarante-trois /**

CARD 1   **CARD 2**

1	2	4	7	8	11
14	15	17	19	20	22
24	27	28	29	34	35
38	39	40	44	45	48
50	51	52	57	58	60

3	5	6	9	10	12
13	16	18	21	23	25
30	31	32	33	36	37
41	42	43	46	47	49
53	54	55	56	59	60

How many numbers did you circle on Card 1? _____

How many on Card 2? _____

3. LE SUIVANT (*The next one*)

Write out the numbers that come immediately *after* the numbers given below.

▷   **deux**   *trois* _____

1. cinq _____
2. sept _____
3. dix _____
4. douze _____
5. quatorze _____
6. dix-sept _____
7. dix-neuf _____
8. vingt-neuf _____
9. quarante _____
10. quarante-trois _____
11. quarante-neuf _____
12. cinquante-neuf _____

4. EN FRANÇAIS (*In French*)

Give the French equivalents of the following expressions.

1. *Excuse me.* _____
2. *Thank you.* _____
3. *Please.* (formal form) _____
4. *How much is it?* _____
5. *It's five francs.* _____

PRÉLUDE BONJOUR, LES FRANÇAIS!
Leçon 4 Conversations dans un café

1. OUI OU NON?

Watches do not always work well. Read the times below and compare them with the times indicated on the watches. If the two times match, check **oui**. If they do not match, check **non**.

		oui	non
⇨ **Il est une heure dix.**		☑	☐
⇨ **Il est une heure vingt-cinq.**		☐	☑
1. Il est deux heures et demie.		☐	☐
2. Il est trois heures et quart.		☐	☐
3. Il est cinq heures moins vingt.		☐	☐
4. Il est sept heures moins le quart.		☐	☐
5. Il est deux heures cinq.		☐	☐
6. Il est midi moins vingt-cinq.		☐	☐

2. QUELLE HEURE EST-IL?

Pierre's watch is not working. Tell him what time it is. Write out your statements.

1:00	1. _____
2:00	2. _____
12:00	3. _____
3:15	4. _____
4:30	5. _____
6:05	6. _____
6:50	7. _____

3. TOURISTES

Imagine that you are a tourist in Paris. You see the following signs. Guess what they mean and write the English equivalents.

français: **anglais** (*English*):

➡ aéroport ⟩ *airport* _____

1. hôtel ⟩ _____

2. hôpital ⟩ _____

3. pharmacie ⟩ _____

4. théâtre ⟩ _____

5. musée ⟩ _____

6. cathédrale ⟩ _____

7. parc ⟩ _____

8. banque ⟩ _____

9. supermarché ⟩ _____

10. station-service ⟩ _____

PRÉLUDE BONJOUR, LES FRANÇAIS!

Leçon 5 Le calendrier de Jacqueline

1. LA SEMAINE

Can you fit the seven days of the week into the following French puzzle?

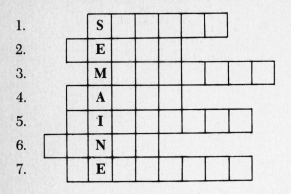

1.
2.
3.
4.
5.
6.
7.

2. JOYEUX ANNIVERSAIRE! (*Happy birthday!*)

Write out in French the dates of the birthdays of six people you know well. Begin with yourself and your parents.

1. moi (*me*) _____
2. Maman _____
3. Papa _____
4. _____
5. _____
6. _____

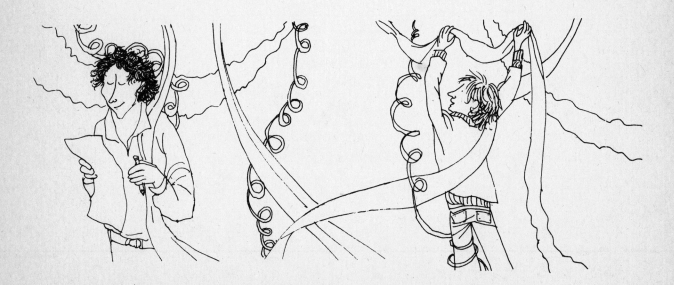

3. L'HOROSCOPE

Look at the horoscope in a newspaper or magazine. Write out when each sign begins and ends.

			commence (*begins*)	finit (*ends*)
⇨		Verseau	*le 21 janvier*	*le 19 février*
1.		Poissons		
2.		Bélier		
3.		Taureau		
4.		Gémeaux		
5.		Cancer		
6.		Léon		
7.		Vierge		
8.		Balance		
9.		Scorpion		
10.		Sagittaire		
11.		Capricorne		

PRÉLUDE BONJOUR, LES FRANÇAIS!
Leçon 6 La carte du temps

1. QUEL TEMPS FAIT-IL?

Describe the weather and give the temperature in the city or town where you live.

1. (le temps)   Aujourd'hui, _____ .

    (la température)   _____

2. (le temps)   En janvier, _____ .

    (la température)   _____

3. (le temps)   En juillet, _____ .

    (la température)   _____

2. LES QUATRE SAISONS

Imagine that a friend from Paris plans to visit the United States. Say what kind of weather your friend should expect in the following cities.

1. À New York: En été, _____ .

                     En hiver, _____ .

2. À Miami: Au printemps, _____ .

                     En automne, _____ .

3. À Chicago: Au printemps, _____ .

                     En automne, _____ .

4. À Los Angeles: En hiver, _____ .

                     En été, _____ .

Prélude **11**

3. L'ANNUAIRE (*The directory*)

Imagine that you are setting up a bilingual professional directory. Here are the names of some professions in French. Write the English equivalents.

▷   **dentiste**   *dentist* _____

1.   journaliste   _____

2.   pharmacien   _____

3.   interprète   _____

4.   pianiste   _____

5.   électricien   _____

6.   professeur   _____

7.   programmeur IBM   _____

8.   mécanicien   _____

9.   vétérinaire   _____

10.   photographe   _____

RÉCRÉATION CULTURELLE

Passeport

When you travel abroad, you need a passport. A passport is a special travel document which contains basic information about the person to whom it belongs.

Look at the information contained in the French passport.

1. What is the last name of its holder? _____
2. What is the first name of the person? _____
3. Does the person have any middle names? _____
4. When was she born? _____
5. Where was she born? _____
6. What is her profession? (Note: **étudier** means *to study*) _____
7. Where does she live? _____

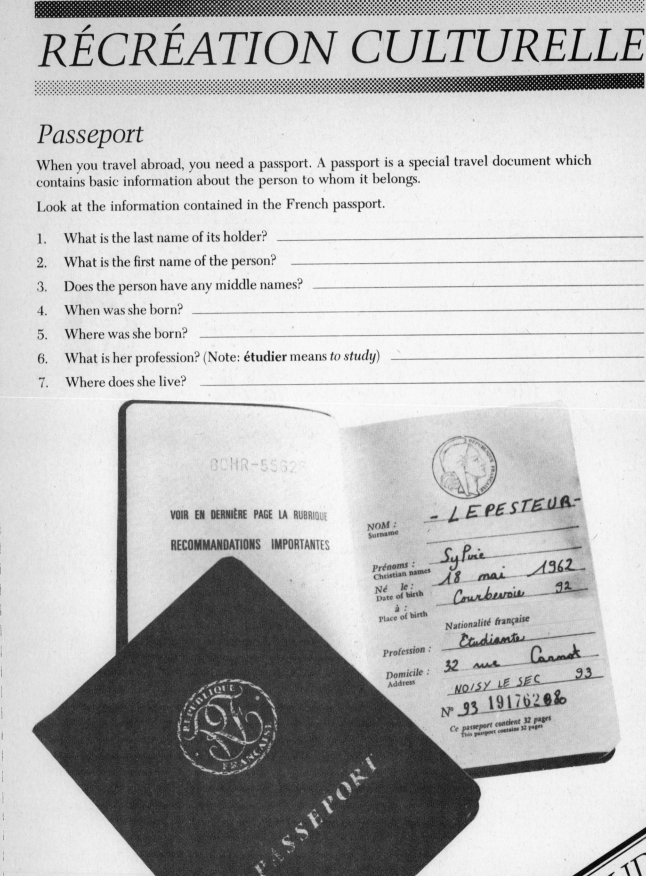

PRÉLUDE

RÉCRÉATION CULTURELLE

Une lettre

Note how envelopes are addressed in France.

Monsieur Renaud Valette
135, rue Jeanne d'Arc
37110 TOURS

nom

adresse (rue = *street*)

numéro de code postal

ville

The **numéro de code postal** is the equivalent of the American ZIP code. The first two digits of the code indicate the **département**. (France is divided into 95 administrative regions called **départements**.) The last three digits indicate the postal district within that **département**.

RÉCRÉATION CULTURELLE

Carnet d'adresses (Address book)

The young people listed in this address book live in the ten largest cities in France. Enter these cities on the map below.

nom	adresse	
Aubéry, Jean-Claude	53, rue La Fayette	76000 Rouen
Beauchamp, Monique	24, rue de Strasbourg	38000 Grenoble
Carré, Philippe	45, avenue Saint-Exupéry	31000 Toulouse
Chevalier, André	19, avenue Maréchal Foch	69000 Lyon
Dumont, Patrick	37, avenue Carnot	44000 Nantes
Lafond, Suzanne	28, avenue Charles de Gaulle	33000 Bordeaux
Mercier, Nathalie	50, avenue Pasteur	13000 Marseille
Souchal, Roger	42, quai des États-Unis	06000 Nice
Texier, Emmanuelle	68, boulevard Louis XIV	59000 Lille
Vergne, François	83, rue de la Boëtie	75008 Paris

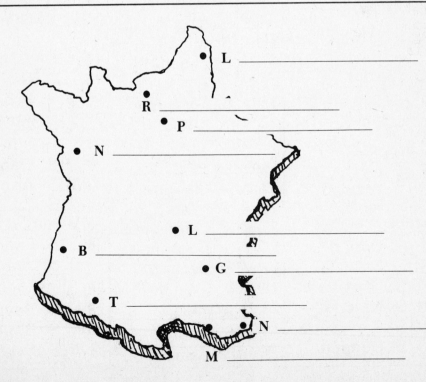

L _____

R _____

P _____

N _____

L _____

B _____

G _____

T _____

N _____

M _____

RÉCRÉATION CULTURELLE

Bonne fête!

In addition to their birthdays, many French people also celebrate their Saint's Day (**la fête**). This is the day on which the Catholic Church honors a particular saint. Look at the French calendar for October, November, and December.

OCTOBRE ☼ 5 h 51 à 17 h 29			NOVEMBRE ☼ 6 h 39 à 16 h 29			DECEMBRE ☼ 7 h 24 à 15 h 55		
1	J	Se Th. de E.-J.	1	D	**TOUSSAINT**	1	M	Se Florence
2	V	S. Léger	2	L	**Défunts**	2	M	Se Viviane
3	S	S. Gérard	3	M	S. Hubert	3	J	S. Xavier
4	D	S. Fr.-d'Assise	4	M	S. Charles	4	V	Se Barbara ☽
5	L	Se Fleur	5	J	Se Sylvie ☽	5	S	S. Gérald
6	M	S. Bruno ☽	6	V	Se Bertille	6	D	S. Nicolas
7	M	S. Serge	7	S	Se Carine	7	L	S. Ambroise
8	J	Se Pélagie	8	D	S. Geoffroy	8	M	*Imm. Concept.*
9	V	S. Denis	9	L	S. Théodore	9	M	S. P.-Fourier
10	S	S. Ghislain	10	M	S. Léon	10	J	S. Romaric
11	D	S. Firmin	11	M	**ARMISTICE** ☺	11	V	S. Daniel ☺
12	L	S. Wilfried	12	J	S. Christian	12	S	Se Jeanne-F.C.
13	M	S. Géraud ☺	13	V	S. Brice	13	D	Se Lucie
14	M	S. Juste	14	S	S. Sidoine	14	L	Se Odile
15	J	Se Th. d'Avila	15	D	S. Albert	15	M	Se Ninon
16	V	Se Edwige	16	L	Se Marguerite	16	M	Se Alice
17	S	S. Baudouin	17	M	Se Elisabeth	17	J	S. Gaël
18	D	S. Luc	18	M	Se Aude ☾	18	V	S. Gatien ☾
19	L	S. René	19	J	S. Tanguy	19	S	S. Urbain
20	M	Se Adeline ☾	20	V	S. Edmond	20	D	S. Abraham
21	M	Se Céline	21	S	*Prés. de Marie*	21	L	HIVER
22	J	Se Elodie	22	D	Se Cécile	22	M	Se Françoise-X.
23	V	S. Jean de C.	23	L	S. Clément	23	M	S. Armand
24	S	S. Florentin	24	M	Se Flora	24	J	Se Adèle
25	D	S. Crépin	25	M	Se Catherine L.	25	V	**NOEL**
26	L	S. Dimitri	26	J	Se Delphine ●	26	S	S. Etienne ●
27	M	Se Emeline ●	27	V	S. Séverin	27	D	S. Jean
28	M	SS. Sim., Jude	28	S	S. Jacq.de la M.	28	L	*SS. Innocents*
29	J	S. Narcisse	29	D	**Avent**	29	M	S. David
30	V	S. Bienvenue	30	L	S. André	30	M	S. Roger
31	S	S. Quentin			Fonderie CASLON - Paris	31	J	S. Sylvestre

RÉCRÉATION CULTURELLE

A girl with the name of Alice would celebrate her **fête** on December 16, which falls on a Wednesday.

Imagine that you are in a French school with the following young people. Write the date of each person's **fête** as well as the day of the week on which it falls. This way you will remember when to wish each one **Bonne fête!** (*Happy Saint's Day!*)

	date	jour
Daniel Dupin	le 11 décembre	vendredi
Florence Launay		
Bruno de Moidrey		
Charles Coulomb		
Sylvie Tavernier		
Albert Langlois		
Catherine Fernández		
David Bellon		
Roger Camus		
André Salat		
Gérard Lacombe		
Denis Belcourt		

UNITÉ 1: Parlez-vous français?

INTRODUCTION: What you will do and learn in *Unité 1*

LESSON OPENERS

You will meet some French-speaking people from around the world—Canada, Martinique, the Ivory Coast, Belgium, and Switzerland.

NOTES CULTURELLES

You will learn that French is spoken not only in France but in other European countries, in Canada, in North and West Africa, and on the French islands of Martinique and Guadeloupe in the Caribbean Sea.

ACTIVITÉS

You will learn how: *page in your textbook*

STRUCTURE

In this unit you will learn mainly about French verbs: *-er* verbs and the verb *être* (to be).

UNITÉ 1 PARLEZ-VOUS FRANÇAIS?

Leçon 1 Au Canada

C1. **PRÉSENTATIONS** (*Introductions*)

The following young people are each introducing themselves in four sentences: (1) they give their name; (2) they tell where they live; (3) they say what languages they speak; and (4) they say what sports they play. Write what each one says.

(1) *Je m'appelle Sylvie Salat.*
(2) *J'habite à Paris.*
(3) *Je parle* _____
(4) _____

Nom: *Sylvie Salat*
Adresse: *Paris*
Langue: *français*
Sport: *tennis*

(1) _____
(2) _____
(3) _____
(4) _____

Nom: *Marc Dubois*
Adresse: *Québec*
Langues: *français et anglais*
Sport: *hockey*

(1) _____
(2) _____
(3) _____
(4) _____

Nom: *Nathalie Lambert*
Adresse: *Bordeaux*
Langues: *français et espagnol*
Sport: *volleyball*

D1. **ET TOI?**

Say whether or not you do the following things.

▷ **jouer au hockey?** *Oui, je joue au hockey. (Non, je ne joue pas au hockey.)*

1. jouer au tennis? _____
2. skier? _____
3. parler anglais? _____
4. parler espagnol? _____

D2. LIMITES!

One cannot do everything. Paul is talking about what he does and what he does not do. Write what he says. Use the illustrated verb in two sentences. Write an *affirmative* sentence with the first cue in parentheses. Write a *negative* sentence with the second cue.

▷ (français, espagnol)

Je parle français.
Je ne parle pas espagnol.

1. (avec Annie, avec Jacqueline)

_____

_____

2. (à Pierre, à Jacques)

_____

_____

3. (Paris, New York)

_____

_____

4. (au tennis, au volleyball)

_____

_____

UNITÉ 1 PARLEZ-VOUS FRANÇAIS?

Leçon 2 À la Martinique

A1. QUI EST-CE?

Read the sentences carefully and pay attention to the pronouns. Then indicate which picture the sentence is referring to. Check the appropriate column.

	A	B	C	D
⇨ **Il arrive de Québec.**	☑	☐	☐	☐
⇨ **Elles arrivent de Paris.**	☐	☐	☐	☑
1. Elle dîne.	☐	☐	☐	☐
2. Ils téléphonent.	☐	☐	☐	☐
3. Il habite à New York.	☐	☐	☐	☐
4. Elles étudient.	☐	☐	☐	☐
5. Elle danse.	☐	☐	☐	☐
6. Il parle français.	☐	☐	☐	☐

A2. LES CHAMPIONS

Say which sports the following people play. Complete the sentences below with the appropriate subject pronouns and the appropriate forms of **jouer**.

1. (Jacqueline) _____ au volleyball.

2. (Pierre et Paul) _____ au hockey.

3. (Sylvie et Suzanne) _____ au tennis.

4. (Philippe) _____ au football.

5. (Hélène et Jacques) _____ au ping-pong.

A3. OCCUPATIONS

Describe what the following people are doing, and also say what they are not doing. For each picture, write three affirmative and negative sentences in which you use the appropriate subject pronoun and the verbs in parentheses.

▷ (jouer / jouer au tennis / jouer au football)

Ils jouent. Ils ne jouent pas au tennis. Ils jouent au football.

1. (habiter à Paris / habiter à Québec / parler français)

_____

_____

2. (étudier / téléphoner / parler anglais)

_____

_____

3. (danser / parler / étudier)

_____

_____

4. (visiter New York / visiter Paris / habiter à New York)

_____

_____

B1. PIERRE ET NICOLE

The sentences below tell you what Pierre does. Write questions asking whether his sister Nicole does the same things.

▷ **Pierre habite à Fort-de-France.** *Est-ce que Nicole habite à Fort-de-France?*

1. Pierre parle français. _____

2. Pierre parle créole aussi. _____

3. Pierre étudie l'anglais. _____

4. Pierre danse bien. _____

B2. LES ÉTUDIANTS FRANÇAIS (*French students*)

The following students are going to spend a year at your school. Ask about what they like to do. For each person or group of persons, write a question using the appropriate subject pronoun and the verb suggested by the illustration.

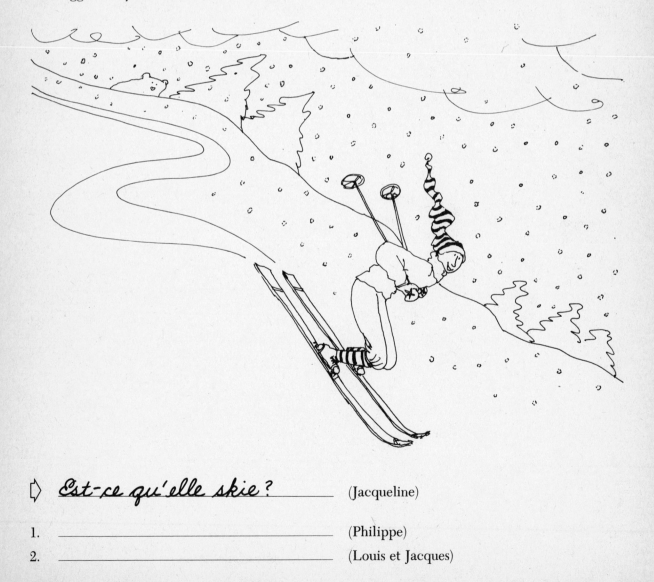

▷ *Est-ce qu'elle skie?* _____ (Jacqueline)

1. _____ (Philippe)

2. _____ (Louis et Jacques)

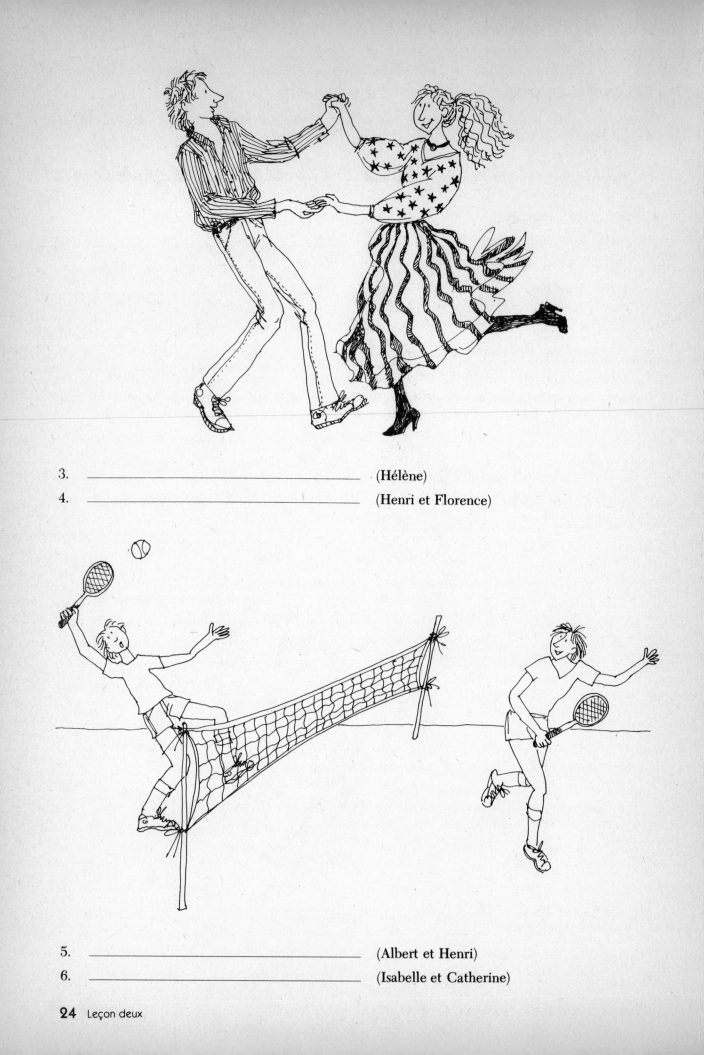

3. _____ (Hélène)

4. _____ (Henri et Florence)

5. _____ (Albert et Henri)

6. _____ (Isabelle et Catherine)

UNITÉ 1 PARLEZ-VOUS FRANÇAIS?

Leçon 3 Au club international

A1. QUELS PRONOMS? (*Which pronouns?*)

Write in the missing subject pronouns (je or j', tu, nous, vous).

▷ _____*Je*_____ téléphone à Jacqueline.

1. _____ arrive à Montréal.
2. _____ parlez français.
3. _____ étudions l'anglais.
4. _____ rentres demain.
5. _____ habites à Paris.

6. _____ étudie le français.
7. _____ dansons.
8. _____ parle anglais.
9. _____ dînez avec Nicole.
10. _____ rentrons avec Albert.

A2. SPORTS ET ÉTUDES (*Sports and studies*)

Complete the sentences on the left with the appropriate forms of the verb **jouer**. Complete the sentences on the right with the appropriate forms of the verb **étudier**.

jouer:

1. Vous _____ au tennis.
2. Je _____ au hockey.
3. Nous _____ souvent au ping-pong.
4. Tu _____ bien au volleyball.

étudier:

J'_____ beaucoup.
Tu n'_____ pas!
Vous _____ l'espagnol.
Nous _____ le français.

A3. CORRESPONDANCE (A)

Imagine that you have a French pen pal named Henri. In a letter to him, ask whether he does the things suggested by the illustrations.

▷ HELLO!   *Est-ce que tu parles anglais ?*

1. ¡CARAMBA! _____

2. _____

3. _____

B1. CORRESPONDANCE (B)

Now Henri has written you a letter in which he asks you the following questions. Answer him in complete sentences.

1. Où est-ce que tu habites?

   _____

2. À quelle heure est-ce que tu dînes?

   _____

3. Comment est-ce que tu joues au tennis? bien ou mal?

   _____

4. Quand est-ce que tu joues au tennis? au printemps ou en été?

   _____

B2. VOYAGES (*Travels*)

A group of French-speaking students are traveling around the world. Imagine that you want to join them. Ask about their travel plans by forming questions beginning with **quand**. Use *subject pronouns* in your questions.

▷ **Philippe visite Boston.**   *Quand est-ce qu'il visite Boston?*

1. Annie visite Québec. _____
2. Pierre arrive à New York. _____
3. Nathalie et Suzanne visitent Montréal. _____
4. Marc et Jacques arrivent à Rome. _____
5. Louis rentre à Dakar. _____

B3. UN MAUVAIS ENREGISTREMENT (*A poor recording*)

Imagine that you have taped the following conversation with Irène, a French student. As you replay the recording you notice that the interrogative expressions (**où, quand, à quelle heure, comment**) have been erased. Fill them in. Be careful! To do this you have to read Irène's answers first.

les questions:		Irène:
▷ _____*Où*_____ est-ce que tu habites?		J'habite à Annecy.
1. _____ est-ce que tu rentres en France?		En juillet.
2. _____ est-ce que tu visites New York?		En avril.
3. _____ est-ce que tu dînes?		Au (*At the*) restaurant.
4. _____ est-ce que tu joues au tennis?		À quatre heures.
5. _____ est-ce que tu joues?		Très bien!

UNITÉ 1 PARLEZ-VOUS FRANÇAIS?
Leçon 4   À Bruxelles

A1.   TENNIS?

Imagine that you are spending the month of August at the house of Henri Imbert, your French pen pal. One day you want to play tennis and are looking for partners. Ask the following people if they play. Use **tu** or **vous** as appropriate.

▷   **Monsieur Imbert (Henri's father)**   *Est-ce que vous jouez au tennis ?*

1.   Madame Charles (a neighbor)   _____

2.   Anne (Henri's little sister)   _____

3.   Paul (Henri's young cousin)   _____

4.   Marc et Philippe (two friends)   _____

B1.   WEEK-END!

Today is Sunday. Say what the following young people are doing. Fill in the appropriate forms of the verbs in parentheses. Then say that they are not studying by writing a *negative* sentence with the corresponding subject pronoun and the verb **étudier.**

▷   (nager)   **Jacqueline** _*nage*_ . *Elle n'étudie pas.*

1.   (téléphoner)   Je _____ à Paul.   _____

2.   (visiter)   Nous _____ un musée (*museum*).   _____

3.   (danser)   Hélène et André _____ .   _____

4.   (écouter)   Vous _____ la radio.   _____

5.   (chanter)   Tu _____ .   _____

6.   (jouer)   Alain _____ au hockey.   _____

7.   (jouer)   Suzanne et Thérèse _____ au tennis.   _____

8.   (inviter)   Albert _____ Nicole.   _____

C1.   PASSE-TEMPS (*Pastimes*)

Read what the following people are doing, and say that they like to do these things.

▷   **Hélène nage.**   *Elle aime nager .*

1.   Paul téléphone.   _____

2. Charles et Louis voyagent. _____

3. Suzanne danse. _____

4. Albert joue au tennis. _____

5. Nous jouons au volleyball. _____

6. Vous jouez au hockey. _____

C2. ET TOI?

Say whether or not you do the activities suggested by the illustrations. Also say whether or not you like to do these things.

▷ *Je téléphone. (Je ne téléphone pas.)*
J'aime téléphoner. (Je n'aime pas téléphoner.)

1. _____
_____

2. _____
_____

3. _____
_____

4. _____
_____

5. _____
_____

C3. CORRESPONDANCE

Henri, your pen pal, is asking you a few questions. Answer him affirmatively or negatively.

1. Est-ce que tu aimes voyager?

_____

2. Est-ce que tu désires visiter Paris?

_____

3. Est-ce que tu aimes étudier le français?

_____

UNITÉ 1 PARLEZ-VOUS FRANÇAIS?
Leçon 5 En vacances

A1. ÊTRE

Fill in the crossword puzzle with the forms of **être**. Then write the corresponding subject pronoun in front of each form.

▷ _nous_ _____

1. _____
2. _____
3. _____
4. _____
5. _____

S	O	M	M	E	S

A2. OÙ SONT-ILS?

Read what the following people are doing. Then decide whether they are at home or not. Write out your conclusions using *affirmative* or *negative* forms of the expression **être à la maison**.

▷ **Paul nage.** _Il n'est pas à la maison._

1. Je regarde la télévision. _____
2. Jacqueline voyage. _____
3. Nous jouons au tennis. _____
4. Tu écoutes la radio. _____
5. Robert et André nagent. _____
6. Vous visitez Québec. _____
7. Isabelle joue au hockey. _____
8. Philippe et Jacques dînent. _____

B1. QUI?

Nathalie is looking for people who share her interests. Write the questions she will ask when she meets a group of new friends.

▷ **Nathalie joue au tennis.** _Qui joue au tennis?_

1. Elle joue au ping-pong. _____
2. Elle parle anglais. _____

3. Elle étudie l'espagnol. _____

4. Elle aime danser. _____

5. Elle aime voyager. _____

6. Elle aime chanter. _____

C1. RÉPÉTITIONS

Philippe did not quite hear what Annie told him. He asks her to repeat. Complete his questions.

Annie: **Philippe:**

▷ **Je joue au tennis avec Robert.**   Avec *qui est-ce que tu joues au tennis* ?

1. Je téléphone souvent à François.   À _____ ?

2. Je parle rarement à Monique.   À _____ ?

3. J'étudie avec Pierre.   Avec _____ ?

4. Je travaille pour Monsieur Durand.   Pour _____ ?

5. Je parle anglais avec Bob.   Avec _____ ?

6. Je parle italien avec Mario.   Avec _____ ?

7. Je parle de Pierre.   De _____ ?

D1. CORRESPONDANCE

Here are some more questions from Henri, your pen pal. Answer them.

1. Es-tu en vacances aujourd'hui?

_____

2. Où es-tu?

_____

3. Aimes-tu chanter?

_____

4. Joues-tu au tennis? Avec qui joues-tu?

_____

5. Travailles-tu? Pour qui travailles-tu?

_____

RÉCRÉATION CULTURELLE

Les pays francophones (French-speaking countries)

The following stamps have been issued by countries where French is spoken. A friend of yours, who is interested in stamps, wants to know where these countries are. Write the names of the countries under the continent or region in which they are located.

Afrique:

_____

_____

_____

_____

_____

Amérique du Nord
(*North America*):

_____

Antilles
(*Caribbean Islands*):

_____

Océanie
(*South Pacific*):

_____

Europe:

_____

_____

_____

UNITÉ 1

RÉCRÉATION CULTURELLE

Finances internationales

These three banknotes have been issued in countries where French is one of the official languages. Look at the three bills carefully and answer the following questions:

1. In which country is this bill used? _____
2. What is its face value? _____
3. Whose portrait is on the bill? _____

4. In which country is this bill used? _____
5. What is its face value? _____
6. How much is it worth in U.S. dollars? (Note: 1 Belgian franc = $0.035) _____

7. In which country is this bill used? _____
8. What is its face value? _____
9. How much is it worth in U.S. dollars? (Note: 1 Swiss franc = $0.60) _____
10. From the information on this banknote, can you guess what other languages are spoken in this country? _____

RÉCRÉATION CULTURELLE

Vacances à Québec

Imagine that you are traveling with your family in Quebec. Look at the following illustrations and answer the questions.

You have decided to stay at the hotel in this advertisement.

1. What is the name of the hotel? _____
    (This name means *where one is warmly welcomed.*)

2. Is it a big hotel? _____

3. How are the rooms equipped? _____

You are planning to attend the Quebec Summer Festival.

4. When is the festival held? _____

Étudiants *Students*   enfants *children*

You have decided to visit the **Grand Théâtre.**

5. If you wanted to go in the morning and hear a French guided tour, when should you be there?

    _____

6. When in the afternoon could you hear a French guided tour? _____

7. How much would it cost if you visited the theater alone? _____

8. How much would it cost if you went with your whole family? _____

Unité un **33**

RÉCRÉATION CULTURELLE

Où?

Imagine that you have just returned from a trip around the world. As you unpack your suitcase, you come across mementos from various countries. Among them you discover a newspaper and a bill. Look at them carefully and answer the questions.

1. On which French-speaking island did you buy this newspaper? _____

2. On which French-speaking Caribbean island did you pay this bill? _____

3. What is the name of the hotel where you stayed? _____

4. When did you stay there? _____

RÉCRÉATION CULTURELLE

Le système métrique

The metric system was invented by French scientists two hundred years ago. Since then, it has been adopted by most of the countries around the world and is now being introduced in the United States and Canada.

The following conversion tables have been prepared by the Banque Royale of Canada.

(Note: In writing numbers the French use periods where the Americans use commas, and vice versa.)

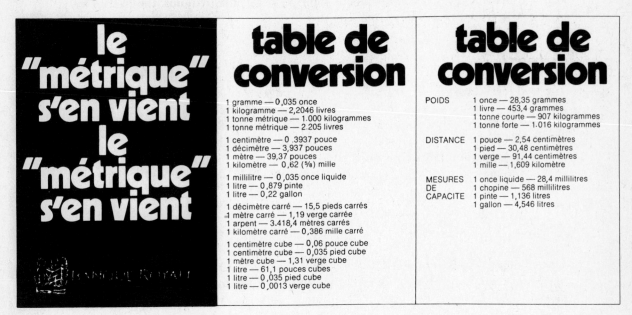

le "métrique" s'en vient le "métrique" s'en vient

table de conversion

1 gramme — 0,035 once
1 kilogramme — 2,2046 livres
1 tonne métrique — 1.000 kilogrammes
1 tonne métrique — 2.205 livres

1 centimètre — 0 .3937 pouce
1 décimètre — 3,937 pouces
1 mètre — 39,37 pouces
1 kilomètre — 0,62 (⅝) mille

1 millilitre — 0 ,035 once liquide
1 litre — 0,879 pinte
1 litre — 0,22 gallon

1 décimètre carré — 15,5 pieds carrés
1 mètre carré — 1,19 verge carrée
1 arpent — 3.418,4 mètres carrés
1 kilomètre carré — 0,386 mille carré

1 centimètre cube — 0,06 pouce cube
1 centimètre cube — 0,035 pied cube
1 mètre cube — 1,31 verge cube
1 litre — 61,1 pouces cubes
1 litre — 0,035 pied cube
1 litre — 0,0013 verge cube

table de conversion

POIDS   1 once — 28,35 grammes
1 livre — 453,4 grammes
1 tonne courte — 907 kilogrammes
1 tonne forte — 1.016 kilogrammes

DISTANCE   1 pouce — 2,54 centimètres
1 pied — 30,48 centimètres
1 verge — 91,44 centimètres
1 mille — 1,609 kilomètre

MESURES DE CAPACITE   1 once liquide — 28,4 millilitres
1 chopine — 568 millilitres
1 pinte — 1,136 litres
1 gallon — 4,546 litres

s'en vient *is coming*   **livre** *pound*   **pouce** *inch*   **tonne forte** *ton*

PETITS PROBLÈMES

Complete the following sentences with the appropriate metric equivalents of the quantities in parentheses. (Use the conversion tables . . . and a calculator!)

1. Donnez-moi _____ de bananes. (4,4 livres)

2. Donnez-moi _____ de Coca-Cola. (1,76 pintes)

3. La tour Eiffel pèse *(weighs)* _____ . (7.916 tonnes fortes)

4. La hauteur *(height)* de la tour Eiffel est _____ .
   (1.181.000 pouces)

5. La distance entre *(between)* New York et Québec est _____ .
   (518 milles)

UNITÉ 2:   *Salut, les amis!*

INTRODUCTION: What you will do and learn in *Unité 2*

LESSON OPENERS

You will read about the leisure-time activities of a number of young French people. These include planning a party, taking a bus trip, and playing tennis, basketball, and Monopoly.

NOTES CULTURELLES

You will learn about French teenagers, their pastimes, their friends, the parties they organize, and *La Maison des Jeunes*.

ACTIVITÉS

You will learn how: *page in your textbook*

STRUCTURE

You will learn another important verb: *avoir* (to have). You will learn about articles and nouns, which in French are either masculine or feminine, and about the forms of adjectives. You will also learn a new kind of pronoun, the stress pronoun.

UNITÉ 2 SALUT, LES AMIS!

Leçon 1 Invitations

A1. POUR DÉTECTIVES

You have found a notebook in which several people are mentioned by their initials only. Find out which ones are male and which are female and circle the corresponding letter. (Your clue is **un** or **une**.)

▷ **J.G. est un pilote remarquable.**　　Ⓜ F

▷ **C.C. est une actrice italienne.**　　M Ⓕ

1. B.H. est un musicien anglais.　　　**M**　**F**
2. V.C. est un pianiste.　　　　　　　**M**　**F**
3. S.F. est une actrice américaine.　　**M**　**F**
4. F.L. est un artiste français.　　　　**M**　**F**
5. P.N. est un excellent acteur.　　　　**M**　**F**
6. G.M. est une artiste américaine.　　**M**　**F**
7. P.V. est un cousin de New York.　　**M**　**F**
8. M.V. est une cousine de Montréal.　**M**　**F**

A2. PRÉSENTATIONS

Alain is at a party. He introduces the following people. Write what he says.

▷ Caroline (amie)　　*Caroline est une amie.*

1. Paul (camarade)　_____

2. Nicole (élève)　_____

3. Philippe (ami)　_____

4. Suzanne (cousine)　_____

5. Marc (élève)　_____

6. Thomas (cousin)　_____

B1. DESCRIPTIONS

Look carefully at the following scenes. Write what the people mentioned in parentheses are doing. For each person use the appropriate form of the *definite* article and a verb which describes what that person is doing.

▷ (une fille / un garçon)

La fille nage.
Le garçon joue au football.

1. (un homme / une femme)

_____

_____

2. (un professeur / une élève)

_____

_____

3. (une fille / un garçon)

_____

_____

C1. FRÈRES ET SŒURS (*Brothers and sisters*)

The following brothers and sisters look alike. Describe the girl in each pair according to the model.

▷ **Alain est brun.** **Monique** *est brune* _____

1. Marc est blond. Suzanne _____
2. Philippe est petit. Françoise _____
3. Paul est grand. Stéphanie _____
4. Pierre est intelligent. Alice _____
5. Henri est sympathique. Annette _____
6. Jacques est beau. Nicole _____

C2. PORTRAITS

Describe the following people. For each person write four affirmative or negative sentences. You may use the following adjectives:

amusant / beau / blond / brun / grand / intelligent / intéressant / petit / sympathique

▷ Anne *n'est pas brune.*
Elle est blonde.
Elle est assez grande.
Elle est sympathique.

Charles _____
_____
_____
_____

Béatrice _____
_____
_____
_____

André _____
_____
_____
_____

Madame Rémy _____
_____
_____
_____

AUTO-PORTRAIT (*Self-portrait*)

Describe yourself in six sentences.

_____

_____

_____

_____

_____

_____

_____

UNITÉ 2 SALUT, LES AMIS!

Leçon 2 Le vélomoteur de Sylvie

A1. OÙ?

Jacques does not often believe his cousin Georges and wants to see whatever Georges says that he has. Complete Jacques's questions with the appropriate *pronouns*.

Georges:

Jacques:

▷ **J'ai une voiture.** Où est-_elle_ ?

1. J'ai un vélo. Où est-_____ ?
2. J'ai une caméra. Où est-_____ ?
3. J'ai un transistor. Où est-_____ ?
4. J'ai une guitare. Où est-_____ ?
5. J'ai un piano. Où est-_____ ?
6. J'ai une moto. Où est-_____ ?

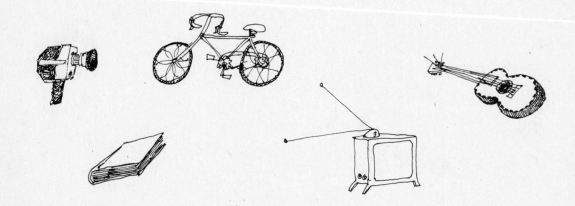

A2. LES POSSESSIONS DE SYLVIE (*Sylvie's belongings*)

Sylvie has the following things. Describe these objects using the appropriate forms of the adjectives in parentheses.

▷ une caméra *Elle est petite.* _____ (petit)

1. un livre _____ (intéressant)
2. une bicyclette _____ (vert)
3. un téléviseur _____ (grand)
4. une guitare _____ (noir)

A3. LEURS POSSESSIONS (*Their belongings*)

Look at the illustrations carefully and describe what the following people own. Complete each sentence with the names of three objects. Be sure to use the appropriate *indefinite* articles.

Marie

Mademoiselle Dumas

Pierre et Louis

Monsieur Renoir

1. Marie a (*has*) *une bicyclette,* _____ .

2. Mademoiselle Dumas a _____ .

3. Monsieur Renoir a _____ .

4. Pierre et Louis ont (*have*) _____ .

V1. DRAPEAUX DE PAYS FRANCOPHONES (*Flags of French-speaking countries*)

Color the flags according to the instructions.

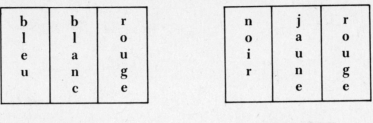

FRANCE

BELGIQUE

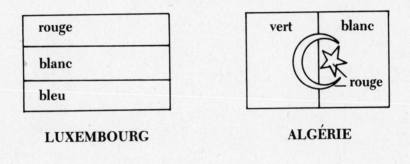

LUXEMBOURG

ALGÉRIE

TCHAD

CÔTE-D'IVOIRE

B1. AVOIR

Fill in the six forms of **avoir** in the appropriate boxes. Then write the corresponding subject pronouns in front of each form.

1. _____
2. _____
3. _____
4. _____
5. _____
6. _____

C1. POURQUOI PAS?

Sometimes we do not do certain things because we do not have what we need. Read what the following people do not do. Explain why by saying that they do not have one of the following things:

un téléviseur / une voiture / un transistor / une raquette / une montre / un électrophone

▷ **Jacques ne voyage pas.** *Il n'a pas de voiture.*

1. Isabelle ne regarde pas la télévision. _____

2. Paul ne joue pas au tennis. _____

3. Henri n'écoute pas la radio. _____

4. Hélène n'écoute pas le disque. _____

5. Jean n'est pas ponctuel *(punctual)*. _____

VOS POSSESSIONS (*Your belongings*)

Name four objects that you own. Tell the color of each.

▷ *J'ai un vélo. Il est bleu.* _____

_____

_____

_____

APPAREIL PHOTO « POLAROID » COLORPACK 82
Page 658. Numéro : 2. Prix : 260 F.

ELECTROPHONE
Page 654. Prix : 250 F. Coloris : jaune.

UNITÉ 2 SALUT, LES AMIS!

Leçon 3 Dans l'autobus

A1. LES VOISINS (*The neighbors*)

Thérèse is talking about her neighbors. Write what she says. To do this, use the nouns in parentheses and the appropriate forms of the adjectives suggested. Study the model carefully.

▷ (**fille / amusant**)   Catherine *est une fille amusante* _____ .

1. (garçon / pénible)   Charles _____ .
2. (amie / sincère)   Laure _____ .
3. (homme / drôle)   M. Dupont _____ .
4. (femme / intelligent)   Mme Thibault _____ .

A2. COMMÉRAGES (*Gossip*)

Paul likes to talk about other people. Write what he says. Be sure to use the appropriate form of each verb and adjective, and don't forget to put the adjective in the right position.

▷ **Philippe / avoir / amie / pénible**

Philippe a une amie pénible. _____

1. François / inviter / fille / blond

_____

2. Thérèse / dîner avec / garçon / brun

_____

3. Jacques / téléphoner à / fille / amusant

_____

4. Nathalie / avoir / livre / intéressant

_____

5. M. Moreau / avoir / voiture / bleu

_____

6. Mme Larousse / avoir / voiture / vert

_____

B1. QUI EST-CE?

Imagine that you are explaining to a French friend who the following Americans are. Be sure to use the appropriate article: **un, une.**

▷ **Ted Kennedy: sénateur**   *C'est un sénateur.*

1. Paul Newman: acteur   _____

2. Jane Fonda: actrice   _____

3. Chris Evert Lloyd: championne de tennis   _____

4. Muhammad Ali: boxeur   _____

5. Buffalo Bill: cow-boy   _____

B2. **QU'EST-CE QUE C'EST?** (*What is this?*)

For each object below, write three sentences. First, say what the object is. Then, say whether it is big or small. Finally, indicate whether it is good or bad. Follow the model.

▷ *C'est une voiture.*
Elle est grande.
C'est une bonne voiture.

1. _____

_____

_____

_____

2. _____

_____

_____

_____

3. _____

_____

_____

_____

4. _____

_____

_____

_____

B3. PANNE SÈCHE (*Out of ink*)

Nathalie planned to stress certain words by writing them in red ink. She realized—too late—that her red pen had dried up. Complete her assignment by filling in the missing words: **c'est, il est,** or **elle est.**

1. Voici Jacques. _____ un ami. _____ grand et brun.
    _____ un garçon sympathique.

2. Voici Suzanne. _____ blonde. _____ une excellente élève.
    _____ très intelligente.

3. Voici une voiture. _____ une Mercédès. _____ grande.

4. Voici un électrophone. _____ petit. _____ un très bon électrophone.

LA VOITURE FAMILIALE (*The family car*)

Describe the family car in six sentences. If you do not have a car, describe the car of someone you know.

_____

_____

_____

_____

_____

_____

UNITÉ 2 SALUT, LES AMIS!

Leçon 4 Le bal du Mardi Gras

A1. EN VOYAGE (*On a trip*)

The following people are traveling. Say which countries they are visiting by completing the sentences with the appropriate definite articles.

1. François visite _____ Espagne et _____ France.

2. Nous visitons _____ Canada et _____ États-Unis.

3. Henri et Sylvie visitent _____ Japon et _____ Chine.

4. Nathalie visite _____ Argentine et _____ Pérou.

B1. IDENTITÉS

Jacques explains who the following people are. Complete his sentences. Be sure to include the appropriate form of the *indefinite* article.

▷ Alice *est une* _____ amie.

▷ René et Robert *sont des* _____ cousins.

1. Hélène _____ cousine.

2. Louis _____ ami.

3. Irène et Mathilde _____ amies.

4. Jacqueline et Monique _____ camarades.

5. Albert et Denis _____ amis de Montréal.

6. André et Robert _____ amis de Québec.

C1. SURPRISE-PARTIE INTERNATIONALE

The following people are attending an international party. Give their nationalities. (Note: The guests are citizens of the countries in which they live. Consult the **Vocabulaire spécialisé: Pays et nationalités** on p. 116 of your text if necessary.)

▷ **Richard et Robert habitent à la Nouvelle-Orléans.**   *Ils sont américains.*

1. Pierre et Paul habitent à Marseille.   _____

2. Lise et Françoise habitent à Paris.   _____

3. Hélène et Sophie habitent à Québec.   _____

4. Jim et Peter habitent à Oxford.   _____

5. Luis et Pedro habitent à Madrid.   _____

6. Nancy et Suzie habitent à Chicago.   _____

CONSEIL POUR LE DÉVELOPPEMENT
CODOFIL
JAMES DOMENGEAUX
Chairman
DU FRANÇAIS EN LOUISIANE
CONSEILLER

VIVE LA DIFFERENCE LA LOUISIANE EST BILINGUE

D1. À LA DOUANE (*At customs*)

The customs officer has asked two tourists to show him what there is in their luggage. Write what each tourist says. Make a complete sentence for each numbered object.

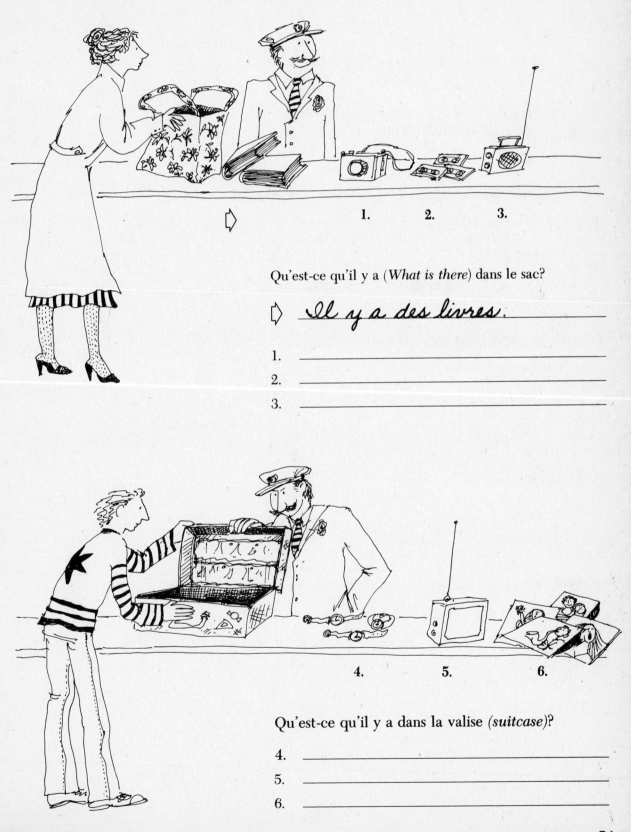

Qu'est-ce qu'il y a (*What is there*) dans le sac?

▷ *Il y a des livres.*

1. _____
2. _____
3. _____

Qu'est-ce qu'il y a dans la valise (*suitcase*)?

4. _____
5. _____
6. _____

D2. CHEZ VOUS (*At your house*)

Say whether or not the following objects are found at your house.

➪ une voiture américaine? *Oui, il y a une voiture américaine.*
(Non, il n'y a pas de voiture américaine.)

1. une moto? _____

2. une guitare électrique? _____

3. des disques français? _____

4. des magazines espagnols? _____

5. des cassettes françaises? _____

E1. ACHATS (*Purchases*)

On their recent vacation trip, M. and Mme Michaud went on a shopping spree. Complete their list of purchases by filling in the appropriate forms of the *adjective of nationality* corresponding to the city mentioned.

1. à Paris: un vélo *français* _____ , une montre _____ , des disques
   _____ , des cassettes _____

2. à New York: un électrophone *américain* _____ , une radio _____ , des
   livres _____ , des cassettes _____

3. à Londres: un livre *anglais* _____ , une bicyclette _____ , des
   transistors _____ , des cassettes _____

4. à Madrid: un banjo *espagnol* _____ , une guitare _____ , des sacs
   _____ , des cassettes _____

VOTRE CHAMBRE (*Your room*)

Describe the various things which you have in your room. Use only the words in the **Vocabulaire spécialisé** on pp. 102–103 of your text. If possible, use adjectives of nationality with each object.

J'ai un téléviseur japonais. _____

_____

_____

_____

_____

_____

_____

UNITÉ 2 SALUT, LES AMIS!

Leçon 5 À la Maison des Jeunes

A1. OPINIONS PERSONNELLES

Say whether or not you like to do the following things. Explain why, using the adjective in parentheses in an affirmative or negative exclamation. Follow the model.

▷ **parler français?**

J'aime parler français.   (**difficile**)   *Ce n'est pas difficile!*
(Je n'aime pas parler français.)   *(C'est difficile!)*

1. danser?

    _____ (amusant) _____

2. regarder la télé?

    _____ (drôle) _____

3. jouer au hockey?

    _____ (dangereux) _____

4. jouer au tennis?

    _____ (facile) _____

5. voyager?

    _____ (intéressant) _____

6. visiter les musées?

    _____ (pénible) _____

B1. ACCUSATIONS!

Imagine that you have witnessed a burglary committed by a man and a woman. Here is a description of the two suspects:

L'homme est petit et brun.
La femme est grande et blonde.

Look at the illustrations and pick out the suspects by writing an affirmative or negative sentence for each one.

⇨   1.   2.   3.   4.   5.

⇨ _Ce n'est pas elle._ _____

1. _____
2. _____
3. _____

4. _____
5. _____

B2. ÉQUATIONS

Write the *stress pronouns* which balance the following "equations."

⇨ **Henri =** _lui_ _____

⇨ **Pierre + toi =** _vous_ _____

1. Jeanne = _____
2. Georges = _____
3. Marc = _____
4. Suzanne = _____
5. Monique + Sophie = _____
6. Jacques + André = _____

7. Hélène + _____ = elles
8. _____ + Pierre = nous
9. _____ + Henri = vous
10. toi + elle = _____
11. moi + toi = _____
12. Pierre + lui = _____

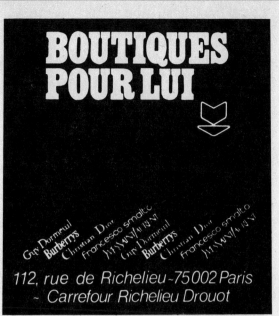

112, rue de Richelieu-75002 Paris
~ Carrefour Richelieu Drouot

B3. INVITATIONS

Imagine that you are making a list of people to invite to a party. Read the descriptions of the following people and say whether or not you are going to invite them. Use *stress* pronouns. Follow the model.

▷ **Jacqueline est française.** _____Elle! (Pas elle!)_____

1. François a des bons disques. _____

2. Hélène et Sylvie ont une guitare. _____

3. Paul n'est pas sympathique. _____

4. Jacques et Louis sont intelligents. _____

B4. ANONYMAT! (*Anonymity!*)

Imagine that you do not want to reveal the names of the people below. To do this, rewrite the sentences using only *subject* and *stress* pronouns.

▷ **Jacques dîne avec Hélène et Louise.** _____Il dîne avec elles._____

1. Jacqueline danse avec Charles. _____

2. François travaille pour M. Moreau. _____

3. Sylvie dîne avec Antoine et Philippe. _____

4. Albert parle avec Mademoiselle Lapie. _____

5. Thomas voyage avec Robert et Denis. _____

6. Lise et Claire travaillent pour Mme Duval. _____

Unité deux **55**

OCCUPATIONS

Write four sentences saying what you do or what you like to do with each of your friends.

▷ *J'aime jouer au ping-pong avec Robert. Je joue souvent avec lui.*

_____

_____

_____

_____

_____

_____

_____

_____

RÉCRÉATION CULTURELLE

Les voitures françaises

French scientists, engineers, industrialists, and race drivers played an important role in the early development of the automobile.

- The first commercial cars built in France were powered by steam (in the 1870's), then by electricity (in the 1880's), and finally by gasoline (in the 1890's).
- The speed of 100 kilometers per hour was reached for the first time in 1899 by a French electric car named **Jamais contente** (*Never Happy*).
- In 1913 the Frenchman Jules Goux won the first Indianapolis 500 in a French car—a Peugeot.
- Today the tradition of French engineering excellence is maintained by four major producers of automobiles: Renault, Peugeot, Citroën, and Talbot.

RENAULT

Renault 4   Renault 5   Renault 14   Renault 18 break   Renault 20   Renault 30
           3 portes - 5 portes

Automobiles TALBOT Centre T.T. 74 bis, rue Lauriston 75116 Paris. Tél. : 553 31 89.

L'ESPRIT AUTOMOBILE **TALBOT**

UNITÉ 2

RÉCRÉATION CULTURELLE

Make a scrapbook or bulletin board exhibit of French cars. Use brochures from foreign car dealers and ads from both American and French newspapers and magazines.

RÉCRÉATION CULTURELLE

La Renault 5

The Renault 5 is one of the most popular cars in France.

Options Renault 5 L
Tablette AR rabattable* - Sellerie
simili.
Options Renault 5 TL
Lunette AR chauffante* - Vitres
teintées avec pare-brise feuilleté
Levier de vitesse au plancher
Toit ouvrant - Sellerie simili
Peinture métallisée.
* Equipement.

Renault 5

Version L : moteur 782 cm3, 4 CV fiscaux, 35,5 ch SAE
à 5 200 tr/mn, plus de 120 km/h.
Freins à tambour à l'AV et à l'AR.
Version TL : moteur 956 cm3, 5 CV fiscaux, 47 ch SAE
à 5 500 tr/mn, plus de 135 km/h.
Freins à disque à l'AV, à tambour à l'AR.

1. Have you seen this car in the United States? _____

2. Have you seen ads for it? _____

The Renault 5 is marketed in this country under a different name.

3. What is that name? _____

4. Would you like to have a Renault 5? Write a short paragraph in French giving your reasons. You may use adjectives like:

petit / **rapide** (*fast*) / **économique** / **confortable** / **élégant**

_____

_____

_____

_____

_____

_____

_____

_____

_____

RÉCRÉATION CULTURELLE

Automobile Club

This decal advertises a French automobile club.

1. What is the name of the club? _____

The decal also shows the name of one of the most famous automobile races in the world. It is held in France in the month of May.

2. What is the name of the race? _____

3. How long does it last? _____

There is an American car which bears the name of the city (**Le Mans**) where the race takes place.

4. Which American manufacturer makes that model car? _____

À vendre (For sale)

Here are five ads which were posted on the bulletin board of a French school. Read them carefully.

À VENDRE
Skis Rossignol
en excellente condition
Prix: 600 francs
Téléphoner à: Guy Charrier
625.42.12

OCCASION UNIQUE!
Guitare électrique
et accessoires
Prix: 600 francs
Contacter: Jean-Claude Lemoine
24, boulevard Raspail

RÉCRÉATION CULTURELLE

À VENDRE

Appareil-photo KODAK INSTAMATIC

Prix: 80 F

Téléphoner à: Monique Duparc

527.58.13

À VENDRE
MOTO HONDA 125 cm^3,
très bonne condition
Prix: 2.000 F
Contacter: Henri Sauvageot
114, boulevard de Latour-Maubourg

À VENDRE
Collection de 30 disques de jazz
(Louis Armstrong, Duke Ellington, Sydney Bechet)
valeur: 250 francs
Téléphoner à: Michel Dupuis 303.62.41

Now imagine that you are in France and want to sell certain items. Prepare two ads for different objects.

UNITÉ 3:   Loisirs et vacances

INTRODUCTION: What you will do and learn in *Unité 3*

LESSON OPENERS

You will read about other ways that young French people spend their leisure time and what they might do during vacations.

NOTES CULTURELLES

You will learn about some favorite leisure-time activities of young French people—skiing, stamp collecting, photography, going to the beach, and visiting museums like the *Centre Pompidou.*

ACTIVITÉS

You will learn how: *page in your textbook*

to describe your city and the places you go 134–136, 136–137
to talk about your plans for the future 137–138
to say that you are at home or
      at a friend's house 142–143
to say to whom something belongs 143, 144, 150–152, 158–159,
                                                                          159, 164, 165, 166
to talk about the sports, games, and
      instruments you play 145–146
to talk about your family and your pets 152–153, 157
to give your age 153
to rank people and things 160

STRUCTURE

You will learn a new verb, *aller* (to go), and how you can use it to express future events. You will also learn how to express possession.

UNITÉ 3 LOISIRS ET VACANCES

Leçon 1 Week-end à Paris

A1. UN PUZZLE

Can you fit the six forms of **aller** in the following puzzle? Also write the corresponding subject pronoun in front of each form.

1. _____
2. _____
3. _____ **S**
4. _____ **T**
5. _____
6. _____

B1. LE DÉTECTIVE

Imagine that you are working for INTERPOL, an international detective agency. Your job is to watch every move of Alain Malin, a famous international gambler. Follow him through the city and write down the places he goes and what he does there. Consult the **Vocabulaire spécialisé** on p. 135 of your text if you are not sure of the gender of the places mentioned.

▷ *Alain Malin va au Café Français. Au Café Français il téléphone.*

1. _____
2. _____
3. _____
4. _____

B2. **QU'EST-CE QU'ILS FONT?** (*What are they doing?*)

Describe what the following people are doing. Use the suggested words and write complete sentences. Be sure to give the right forms of the verbs, and make the contraction with **à** and the definite article if necessary.

▷ **Jacqueline / parler à / le garçon français**

Jacqueline parle au garçon français.

1. Henri / parler à / le professeur

   _____

2. Le professeur / parler à / les élèves

   _____

3. Le guide / parler à / les touristes

   _____

4. Nathalie / téléphoner à / le garçon canadien

   _____

5. Sylvie / téléphoner à / l'étudiant français

   _____

6. Jacques et Paul / être à / le cinéma

   _____

7. Georges / aller à / la plage

   _____

8. Francine et Sylvie / aller à / l'école

   _____

A L'OPÉRA **le grand café**

SES FRUITS DE MER , SES POISSONS

4, BD DES CAPUCINES 742.75.77

parking Paramount à 30 m

B3. OÙ SONT-ILS?

Read what the people below like to do. Then say where each one is going by using one of the places from the list. Use the appropriate forms of **aller à.** (Consult the **Vocabulaire spécialisé** on p. 135 of your text if you are not sure of the gender of the noun you want to use.)

▷ **Caroline aime nager.** *Elle va à la piscine.* _____

1. Jacques et Louis aiment jouer au football.

    _____

2. Nous aimons regarder les sculptures modernes.

    _____

3. Jacqueline aime les westerns. _____

4. Nous aimons la musique. _____

5. Vous aimez la nature. _____

6. J'aime regarder les magazines français.

    _____

7. Tu aimes dîner en ville. _____

8. Albert et Marie aiment nager. _____

piscine
restaurant
cinéma
musée
campagne
stade
plage
bibliothèque
concert

C1. LES VACANCES (*Vacation*)

Say that this summer the following people are going to do what they are not doing now (1–4), and that they are not going to do what they are doing at present (5–8).

aujourd'hui: | en été:

▷ Paul ne nage pas. *Il va nager.*

▷ Monsieur Moreau travaille. *Il ne va pas travailler.*

1. Je ne voyage pas. _____

2. Nous ne jouons pas au tennis. _____

3. Paul ne travaille pas. _____

4. Vous n'allez pas au cinéma. _____

5. Les élèves étudient. _____

6. Jacqueline regarde la télé. _____

7. Nous allons à l'école. _____

8. Tu travailles. _____

C2. PROJETS PERSONNELS (*Personal plans*)

For each of the following time periods, write two sentences saying what you are going to do and what you are not going to do.

▷ Ce soir (*Tonight*), *je vais regarder la télé. Je ne vais pas étudier.*

1. Demain, _____

2. Samedi, _____

3. En juillet, _____

UNITÉ 3 LOISIRS ET VACANCES
Leçon 2 Marie-Noëlle

A1. LES VOISINS DE JACQUELINE (*Jacqueline's neighbors*)

Jacqueline is selling tickets to the school fair and hopes her neighbors will buy some. For each house she visits, complete the sentence according to the model.

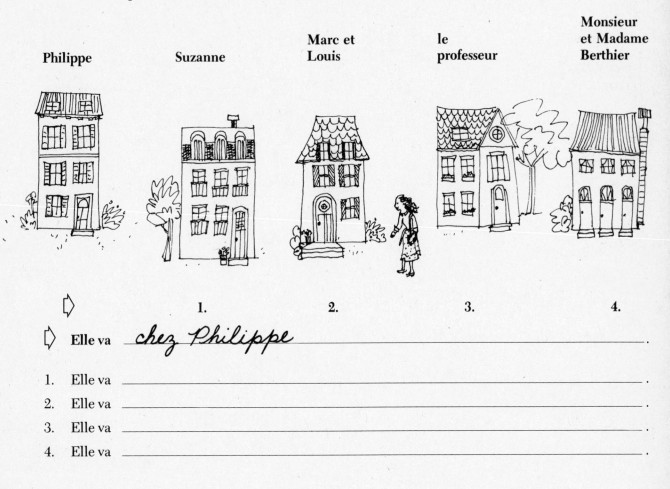

| | **Philippe** | **Suzanne** | **Marc et Louis** | **le professeur** | **Monsieur et Madame Berthier** |

⇨ **Elle va** *chez Philippe* .

1. Elle va _____ .
2. Elle va _____ .
3. Elle va _____ .
4. Elle va _____ .

A2. LE MATCH DE FOOTBALL (*The soccer game*)

Today everyone is home or is going home to watch the soccer championship game on television. Write sentences using the appropriate form of the verb in parentheses and the construction **chez +** the appropriate stress pronoun.

⇨ (rentrer) **Hélène** *rentre chez elle* .

1. (rentrer) Je _____ .
2. (aller) Nous _____ .
3. (être) Tu _____ .
4. (rester) Sophie _____ .

5. (être)　　　　Marie et Antoine _____

6. (aller)　　　　Vous _____

7. (rester)　　　Suzanne et Lucie _____

8. (regarder
　　la télé)　　Pierre et Robert _____

B1.　LA CONSIGNE (*The baggage room*)

Imagine that you are working in the baggage room of a French hotel. You have tagged the following objects with the names of their owners. Say to whom each numbered object belongs by completing the sentences below.

Pierre

Mélanie

1.

Anne-Marie

2.

Monsieur Imbert

3.

Madame Dumas

4.

André

5.

▷　C'est *le vélo de Pierre* _____ .

1.　C'est _____ .

2.　C'est _____ .

3.　C'est _____ .

4.　C'est _____ .

5.　Ce sont _____ .

68　Leçon deux

C1. BAVARDAGES (*Chatting*)

The following people are at a party. Say what or whom they are talking about. Use the appropriate forms of **parler de**, as in the model.

▷ Jacqueline / le garçon français   *Jacqueline parle du garçon français.*

1. Philippe / le professeur   _____

2. nous / les sœurs de Jacques   _____

3. vous / le cousin de François   _____

4. je / l'amie de Pauline   _____

5. Henri / les cousines de Nathalie   _____

6. tu / le concert   _____

7. Albert / la voiture de Paul   _____

C2. DALTONISME (*Colorblindness*)

Robert is colorblind. Correct his statements according to the model.

▷ Robert: **Le professeur a une voiture bleue. (rouge)**
Vous: *Non, la voiture du professeur est rouge.*

1. Robert: Le docteur Seringue a une maison jaune. (verte)

 Vous: _____

2. Robert: L'ami de François a une bicyclette grise. (noire)

 Vous: _____

3. Robert: Les amies de Christine ont une auto rouge. (jaune)

 Vous: _____

4. Robert: La cousine de Paul a un sac vert. (bleu)

 Vous: _____

D1. SPORT ET MUSIQUE

Each of the following people plays a particular sport and a specific instrument. Express this by writing two sentences for each person.

▷ **Amélie** (le volley, la guitare)

Amélie joue au volley. Elle joue de la guitare.

1. Henri (le foot, le banjo)

_____

2. Jacqueline (le basket, la flûte)

_____

3. les cousines de Paul (le tennis, le violon)

_____

ET VOUS?

Describe your hobbies. Which sports do you play? which games? which musical instruments?

_____

_____

_____

_____

_____

_____

UNITÉ 3 LOISIRS ET VACANCES

Leçon 3 Christine a un petit ami.

A1. JACQUES ET SYLVIE

Jacques wants to know where Sylvie's things are. Sylvie tells him. Complete his questions and her answers according to the model.

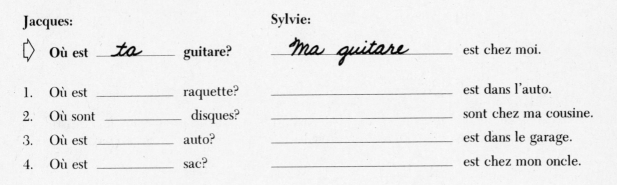

Jacques: **Sylvie:**

▷ Où est __*ta*__ guitare?   __*Ma guitare*__ est chez moi.

1. Où est _____ raquette?   _____ est dans l'auto.

2. Où sont _____ disques?   _____ sont chez ma cousine.

3. Où est _____ auto?   _____ est dans le garage.

4. Où est _____ sac?   _____ est chez mon oncle.

A2. L'ARBRE GÉNÉALOGIQUE (*Family tree*)

Complete your family tree by writing the names and relationships of your relatives in the boxes below. You may use a different sheet of paper and extra boxes if necessary.

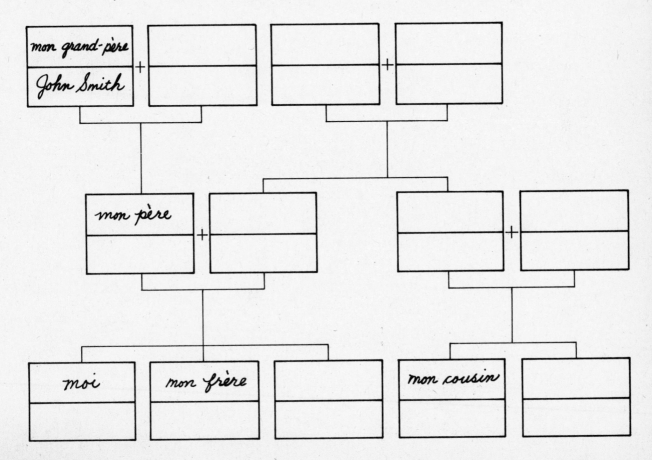

B1. QUEL ÂGE?

Indicate how old the following people are. If you do not know exactly, guess. Then say whether you think they are young or not.

▷ *Mon* père *a 37 ans* . *Il est jeune. (Il n'est pas jeune.)*

1. _____ mère _____ . _____
2. _____ professeur de français _____ . _____
3. _____ professeur de maths _____ . _____
4. _____ meilleur ami _____ . _____
5. _____ dentiste _____ . _____

C1. CADEAUX DE NOËL (*Christmas gifts*)

Imagine you are a salesperson in a French department store. Your clients are looking for Christmas gifts. They tell you what their children like, and you suggest an appropriate item. Follow the model.

le client:

vous:

▷ **Il aime le jazz.**   **Voici des disques** *de jazz* .

1. Elle aime la musique pop.   Voici un disque _____ .
2. Il aime le tennis.   Voici une raquette _____ .
3. Elle aime l'histoire.   Voici un livre _____ .
4. Il aime le ping-pong.   Voici des balles _____ .
5. Elle aime le golf.   Voici des clubs _____ .
6. Il aime les photos.   Voici un album _____ .
7. Elle aime l'anglais.   Voici un dictionnaire _____ .
8. Il aime le baseball.   Voici une batte _____ .

FAMILLE

Choose four of your relatives. Say where each one lives and how old he or she is.

_____
_____
_____
_____
_____
_____
_____

UNITÉ 3 LOISIRS ET VACANCES

Leçon 4 Vive les grandes vacances!

A1. EN VACANCES

The following young people are spending their vacations with friends or family. Express this by completing the sentences with son, sa, or ses, as appropriate.

1. Jacques voyage avec _____ sœur et _____ parents.

2. Thérèse visite Paris avec _____ frère et _____ cousines.

3. Paul va chez _____ ami André.

4. Catherine est chez _____ amie Sophie.

5. En juillet, Jean-Paul va chez _____ grands-parents. En août, il va chez _____ tante Louise. En septembre, il va chez _____ amis anglais.

B1. ZUT ALORS!

The following people do not do certain things because they do not have certain objects. Express this by completing the sentences with the correct negative forms of avoir and son, sa, ses, leur, or leurs, as appropriate.

▷ **Paul ne va pas à la campagne.** *Il n'a pas sa* _____ bicyclette.

1. Suzanne ne joue pas au tennis. _____ raquette.

2. Pierre et André ne jouent pas au ping-pong. _____ raquettes.

3. Louise et Sylvie n'écoutent pas la radio. _____ transistor.

4. Richard n'étudie pas. _____ livres.

5. Mes parents ne voyagent pas. _____ voiture.

6. Mes cousins n'écoutent pas les disques. _____ électrophone.

B2. LA CONSIGNE (*The baggage room*)

The train has arrived and the following people are going to the baggage room to pick up their things. Express this by completing the sentences according to the illustrations. (Note: **chercher** means *to pick up*.)

1. Marie *cherche sa guitare,* _____ .

2. Charles cherche _____
    _____ .

3. Paul et Annie cherchent _____

_____.

4. Monsieur et Madame Moreau cherchent

_____

_____.

C1.   LE MARATHON

Paul   Sylvie   Albert   Philippe   Michèle   Suzanne   Thomas   André

Tell how the following people finished the marathon.

▷ **Albert**   *est sixième* _____.

1. Philippe _____.
2. Sylvie _____.
3. André _____.
4. Suzanne _____.
5. Paul _____.
6. Thomas _____.
7. Michèle _____.

LA FAMILLE DE MES AMIS (*My friends' families*)

In four sentences, describe the members of the families of two of your friends. Follow the model.

▷ *Mon ami s'appelle Paul. Son père travaille en ville. Sa sœur va à l'université, etc.*

Mon meilleur ami s'appelle _____

_____

_____

Ma meilleure amie s'appelle _____

_____

UNITÉ 3 LOISIRS ET VACANCES
Leçon 5 L'album de timbres

A1.   ÉTOURDIS (*Absentminded*)

Michel and Jacques are rather absentminded and forget where they leave their belongings. Complete
the boys' questions with **notre** or **nos,** and then answer using **votre** or **vos.** Follow the model.

Michel et Jacques: **vous:**

▷ Où sont _nos_ timbres?   _Ils sont dans votre_ _____ album.

1.   Où est _____ transistor?   _____ voiture.

2.   Où est _____ voiture?   _____ garage.

3.   Où sont _____ photos?   _____ albums.

4.   Où sont _____ raquettes?   _____ sacs de sport.

B1.   CONVERSATION

Paul asks his friend Janine a few questions. Then he asks the same questions of his friends Marc and
Louise Dupont. Complete the questions he addresses to Janine. Then write the questions he
addresses to Marc and Louise.

à Janine: **à Marc et à Louise:**

▷ Où est _ta_ sœur?   _Où est votre sœur?_ _____

1.   Où habitent _____ cousins?   _____

2.   Où travaille _____ père?   _____

3.   Où est _____ école?   _____

4.   Où sont _____ disques?   _____

B2.   INVITATIONS

The following people are inviting their friends and relatives to the school play. Complete the
sentences with the appropriate possessive adjectives.

▷ **Jacqueline invite** _son_ **petit ami.**

1.   Pierre invite _____ petite amie.

2. Nous invitons _____ tante et _____ cousins.

3. J'invite _____ sœur et _____ frères.

4. Tu invites _____ cousine et _____ cousin.

5. André et François invitent _____ ami Marc.

6. Annie et Sylvie invitent _____ amies canadiennes.

C1. À QUI?

Read what the following people are like. Then decide to which person each of the objects below belongs.

Paul joue au tennis.   Mon frère joue de la flûte.
Jacqueline a une collection de timbres. Vous aimez regarder la télé.
Mes cousins sont photographes.   Tu aimes écouter des disques.

▷ *Les timbres sont à Jacqueline.*

1. _____

2. _____

3. _____

4. _____

5. _____

OBJETS

Describe the following family belongings, giving some of their characteristics.

▷ (voiture) *Notre voiture est une Chevette. Elle est rouge. C'est une petite voiture américaine.*

(voiture) _____
_____

(maison) _____
_____

(téléviseur) _____
_____

(électrophone) _____
_____

RÉCRÉATION CULTURELLE

Une semaine à Paris
À la recherche d'un hôtel (Looking for a hotel)

You are spending a week in Paris. Obviously the first thing you will have to do is find a hotel. Paris has many luxury hotels, such as **Le Ritz** (which gave us the adjective "ritzy"). Of course, hotels of this kind are very expensive and far above the usual student budget. What you want is a more modest hotel, like some of those in the **Quartier Latin,** the student district of Paris. Here is a list of some comfortable and relatively inexpensive hotels. (**exchange: $1.00 = 4 francs**)

Hôtels du Quartier Latin			
nom de l'hôtel	adresse	confort	prix d'une chambre
Hôtel d'Isly	29, rue Jacob	🛏 ☎ P	150 F.
Grand Hôtel Moderne	33, rue des Écoles	🛏 ☎ P 📺	120 F.
Hôtel d'Albe	1, rue de la Harpe	🛏 ☎ P	120 F.
Hôtel Dagmar	225, rue Saint-Jacques	🛏 ☎ P ✕	160 F.
Hôtel de Seine	52, rue de Seine	🛏 ☎ P 📺	150 F.
Hôtel Saint-Pierre	4, rue de l'École de Médecine	🛏 ☎	100 F.

🛏 salle de bains privée   ☎ téléphone   P parking   📺 télévision   ✕ restaurant

1. Which hotel are you going to choose? _____

2. Why? _____

Now that you have chosen a hotel, you will have to fill out a **fiche de voyageur** (*registration card*).

Fill out the card in French.

FICHE DE VOYAGEUR

Nom et Adresse de l'Hôtel

HOTEL LA BOËTIE

81, rue La Boëtie - PARIS-8

Ch. N° _____

NOM : ....
Name in Capital letters (écrire en majuscules)
Name bitte schreiben im letter

Nom de jeune fille : ....
Maiden Name
Madchenname

Prénoms : ....
Christian Names
Vornamen

Né le : .... à ....
Date and place of birth
Geburtsdatum und Geburtsort

Département (ou pays pour l'étranger) ....
Country
Bezirk oder Land

Profession : ....
Occupation
Beruf

Domicile habituel : ....
Home address
Wohnsitz

NATIONALITÉ [_____]
Nationality
Nationalität

UNITÉ 3

RÉCRÉATION CULTURELLE

Le programme de la semaine

Now plan your week in Paris. Look at the map carefully and decide which monuments you would like to see or what you would like to do. Once you have made your decisions, fill in the schedule below.

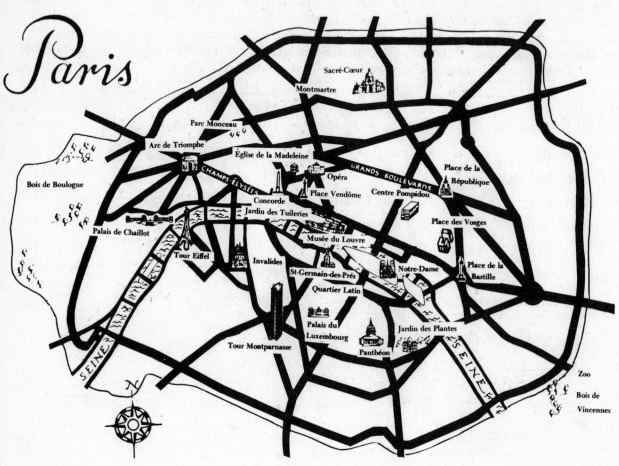

lundi	
mardi	
mercredi	
jeudi	
vendredi	
samedi	
dimanche	

RÉCRÉATION CULTURELLE

En métro (By subway)

The cheapest and fastest way to travel in Paris is via the **métro**. To take the **métro,** you will need **un ticket de métro** like the one you see here. A ticket costs 1,70 F., and with it you can go anywhere in Paris.

Now look at the subway map.

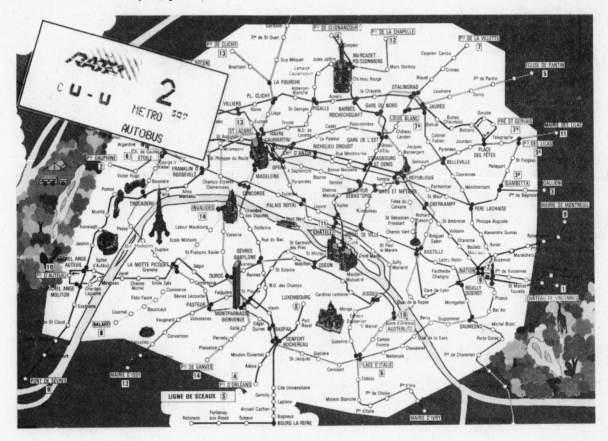

Imagine that you have just visited the **tour Eiffel.**

1. To which **métro** station(s) would you walk to take the **métro**? _____

Imagine that you would like to visit **Notre-Dame** (the church in the center of the map).

2. At which **métro** station(s) would you get off? _____

Imagine that you live in an apartment near the **métro** station **Trocadéro** (close to the **tour Eiffel**). This weekend you are going to visit a friend who lives in the country. Your train leaves from the **Gare d'Orléans AUSTERLITZ** (in the southeast section of the map).

3. Find two different ways of going from your apartment to the train station by subway. Indicate these two ways on the map with a pencil.

RÉCRÉATION CULTURELLE

Au Louvre

The **Louvre** is one of the best-known museums in the world. It houses an immense collection of Egyptian, Greek, and Roman antiquities, as well as famous paintings by European artists, such as the "Mona Lisa" by Leonardo da Vinci.

You plan to spend an afternoon at the **Louvre**. Look at the floor plan carefully.

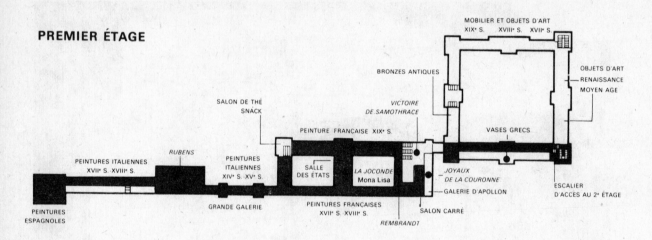

peinture *painting*   **mobilier** *furniture*

1. What are two places you particularly want to visit?

       _____

2. Why? _____

musée du louvre

Palais du Louvre 75001 Paris
Tél. : 260.39.26
Entrée principale : porte Denon
Ouvert tous les jours
de 9 h 45 à 17 h 15
Fermeture le mardi
Métro : Palais Royal ou Louvre

RÉCRÉATION CULTURELLE

Sur la route

After a week in Paris you have rented a car and are heading for southern France. As you leave Paris you will be driving along a modern turnpike called **L'Autoroute du Sud** (*Southern Turnpike*). Along the highway you will encounter the following signs. Try to explain the meaning of each sign.

1.

péage *toll*

2.

3.

4.

5.

6.

7.

UNITÉ 4: *En ville*

INTRODUCTION: What you will do and learn in *Unité 4*

LESSON OPENERS

You will learn that shopping and doing errands in France is sometimes similar to and sometimes very different from what you are accustomed to.

NOTES CULTURELLES

This unit introduces you to French shopping customs, especially with respect to clothing, and stresses the importance of personal appearance for young French people.

ACTIVITÉS

You will learn how: *page in your textbook*

STRUCTURE

You will learn two new categories of regular verbs: *–ir* verbs and *–re* verbs. You will learn the new subject pronoun *on*. You will also learn several important expressions using the verb *avoir*.

UNITÉ 4   EN VILLE

Leçon 1   Au Bon Marché

A1.   AU BON MARCHÉ

The following people are shopping at **Au Bon Marché.** Say what each one chooses. Complete the first sentence with the appropriate form of **choisir.** Then say how much each one spends, using the appropriate form of **dépenser** (*to spend*).

| 30 francs | 20 francs | 10 francs | 25 francs | 35 francs | 5 francs |

▷ **Paul** *choisit* _____ deux livres. *Il dépense 40 francs.*

1.   Anne-Marie _____ des cartes. _____

2.   Nous _____ un poisson rouge. _____

3.   Tu _____ une cassette. _____

4.   Je _____ un album de timbres. _____

5.   Vous _____ deux cassettes. _____

6.   Mes sœurs _____ deux disques. _____

A2.   CONSÉQUENCES

Read what the following people own or do. Then describe the logical consequence, using the appropriate form of the verb in parentheses in an *affirmative* or *negative* sentence.

▷ **Monique joue au tennis.** *Elle ne grossit pas* . (**grossir?**)

1.   Albert est au régime. _____ . (**grossir?**)

2.   Nous étudions beaucoup. _____ à l'examen. (**réussir?**)

3.   Mes cousins sont millionnaires. _____ une Mercédès. (**choisir?**)

4.   Vous êtes au régime. _____ . (**maigrir?**)

5.   J'étudie beaucoup. _____ la leçon. (**finir?**)

6.   Les élèves n'étudient pas. _____ . (**réussir?**)

B1. UNE LETTRE

You are writing to Henri, your French pen pal, about what you do and like. Finish the letter by asking what he does and likes. Use the expression **qu'est-ce que** + the underlined verb.

J'étudie le français. À la maison, je parle anglais. J'aime les sports. À la télévision, je regarde toujours les matchs de football. Pour mon anniversaire, je désire une raquette de tennis.

▷ Et toi, *qu'est-ce que tu étudies* ?

1. _____ à la maison?
2. _____ ?
3. _____ à la télévision?
4. _____ pour ton anniversaire?

C1. LOTO (*Bingo*)

Imagine that you are playing **Loto** in France. The following numbers are called. Put an "X" on each of these numbers if they appear on your card.

soixante-huit / quatre-vingt-trois / cinquante-six / quarante-deux /
vingt-huit / soixante et un / dix-neuf / seize / soixante-cinq ;
quatre-vingt-treize / soixante-seize / vingt et un / douze /
soixante / quatre-vingts / soixante-dix-neuf / trente-sept / soixante et onze /
quatre-vingt-deux / cinquante-quatre / quarante-deux /

5	6	12	16	18	25	28
37	45	48	52	55	58	60
62	63	64	66	68	69	70
71	72	75	79	83	84	85
87	88	89	90	92	93	100

C2. À VOTRE TOUR (*Your turn*)

Now it's your turn to call out the **Loto** numbers. Write out in French what you would say.

1. 60 _____   4. 78 _____
2. 65 _____   5. 83 _____
3. 72 _____   6. 91 _____

UNITÉ 4 EN VILLE
Leçon 2 Rien n'est parfait!

V1. **DESCRIPTIONS**

Describe the clothing worn by the people below.

Anne-Marie   **Jean-François**

Monique   **Albert**

1. Anne-Marie joue au football.

   Elle porte un short, _____

2. Jean-François va à la plage.

   _____

3. Monique va skier.

   _____

4. Albert va au restaurant.

   _____

A1. ACHATS (*Purchases*)

For Christmas, Oncle Largent has given money to his many nieces and nephews. Knowing each one's hobbies, you can easily tell what she or he will buy with the money. Complete the sentences with the appropriate forms of **acheter** and one of the following items:

**des skis / une bicyclette / une batte de baseball / une raquette /
une guitare / un électrophone / des livres d'histoire / un téléviseur**

▷ **Nicolas aime aller à la campagne.**   Il *achète une bicyclette* _____.

1. Janine joue de la guitare.   Elle _____.
2. Nous aimons les westerns.   Nous _____.
3. Je joue au baseball.   J'_____.
4. Élisabeth et Francine skient.   Elles _____.
5. Pierre et Pascal écoutent des disques. Ils _____.
6. Vous aimez l'histoire.   Vous _____.
7. Tu joues au tennis.   Tu _____.

C1. CURIEUX ROGER

When Colette goes out, Roger always wants to know with whom. Write his questions according to the model.

Colette: **Roger:**

▷ **Je dîne avec un ami américain.**   *Quel ami américain ?* _____

1. J'invite une amie.   _____
2. Je rentre avec des filles.   _____
3. Je téléphone à un garçon.   _____
4. Je vais au théâtre avec des Anglais.   _____
5. Je vais en ville avec des amies.   _____
6. Je vais à Paris avec des amis français. _____

D1. LE SHOPPING

Monique and Paul are in a department store. Monique wants to know what Paul is interested in.
Complete the dialogs according to the model.

Monique: **Paul:**

▷ *Quels* _____ disques écoutes-tu?   *J'écoute ces disques.*

1. _____ cassettes écoutes-tu?   _____

2. _____ appareil-photo regardes-tu?   _____

3. _____ tee-shirt achètes-tu?   _____

4. _____ veste aimes-tu?   _____

5. _____ pantalons choisis-tu?   _____

D2. COMPARAISONS

Describe each object or person using the noun in parentheses and the appropriate forms of adjectives
such as: **grand, petit, cher, bon marché, beau, joli.** You may use *affirmative* or *negative* sentences.

(voiture)

▷ *Cette voiture-ci est petite (bon marché).*
Cette voiture-là est grande (n'est pas bon marché).

1. (homme)

_____

_____

2. (fille)

_____

_____

3. (chaussures)

_____

_____

4. (short)

_____

_____

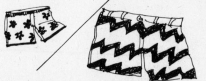

Unité quatre **87**

PROJETS

Describe your plans for the following periods of time by completing the sentences below.

1. Ce soir, je vais _____ .

2. Samedi soir, _____ .

3. Dimanche matin, _____ .

4. Cet été, _____ .

5. Cet hiver, _____ .

CET ETE A CHAMONIX

3 SEMAINES DE VACANCES POUR LE PRIX DE 2
Du studio au 4 pièces à Chamonix-Sud, même en juillet/août.

Tél.: 266.65.78

UNITÉ 4   EN VILLE

Leçon 3   Comment acheter une robe

V1.   LES SUSPECTS

As you hear the burglar alarm go off in the bank across the street, you see four people leaving the building and note how each one is dressed. Complete your written descriptions by filling in the items of clothing which correspond to each number. To do this, complete the sentences with the numbered items of *clothing* and the appropriate forms of the corresponding *colors*.

A.   1. blanc   2. jaune   3. noir

B.   4.   5. rouge   6. blanc

C.   7. vert   8. bleu   9. blanc

D.   10. blanc   11. rouge   12. bleu

A.   L'homme porte (1) _____ ,

(2) _____ , (3) _____ .

B.   La femme porte (4) _____ ,

(5) _____ , (6) _____ .

C.   La jeune fille porte (7) _____ ,

(8) _____ , (9) _____ .

D.   Le jeune homme porte (10) _____ ,

(11) _____ , (12) _____ .

A1.   DESCRIPTIONS

Jacques is describing certain people and certain things. Complete each description with the appropriate forms of the underlined adjectives.

1.   Isabelle est toujours <u>belle</u>. Aujourd'hui elle porte une _____ jupe,

un _____ chemisier et des _____ chaussures.

En hiver, elle porte un _____ anorak et des _____ pulls.

2.   Mes cousins habitent dans une <u>vieille</u> ville. Dans cette ville, il y a un très _____

hôtel. Il y a aussi des _____ maisons, un _____ musée et

des _____ restaurants.

3.   Cet été, je vais acheter une <u>nouvelle</u> veste. Je vais aussi acheter un _____

maillot de bain, des _____ pantalons et des _____ chemises. Si

j'ai beaucoup d'argent, je vais aussi acheter un _____ électrophone.

B1. PAULINE ET LOUISE

Although Pauline and Louise are sisters, they are very different. Compare them, using the appropriate forms of the adjectives in parentheses.

Pauline   Louise

▷ (grand)   *Pauline est plus grande que Louise.*

1. (joli)   _____

2. (intelligent) _____

3. (athlétique) _____

4. (élégant)   _____

B2. OPINIONS

Compare the following by using the suggested adjectives. Express your personal opinion.

▷ une Mercédès / confortable / une Cadillac
Une Mercédès est plus (moins, aussi) confortable qu'une Cadillac.

1. le Texas / grand / le Vermont

_____

2. Chicago / grand / New York

_____

3. les garçons / généreux / les filles

_____

4. un chat / intelligent / un chien

_____

5. les Françaises / élégantes / les Américaines

_____

6. les voitures japonaises / bonnes / les voitures américaines

_____

7. les Red Sox / bons / les Yankees

_____

UNITÉ 4   EN VILLE
Leçon 4   Un gourmand

A1.   LES AMIS DE NICOLE

Nicole is speaking about her friends and how they feel. Complete her sentences with **est** or **a**, as appropriate.

1.   Robert _____ fatigué.

2.   Jacqueline _____ froid.

3.   Henri _____ chaud.

4.   Sylvie _____ malade.

5.   Jean-Louis _____ optimiste.

6.   Nathalie _____ souvent raison.

A2.   POURQUOI?

Read about what the following people do, and then explain why. To do this, write a sentence using an expression with **avoir**.

▷   **Monsieur Moreau va au restaurant.**   *Il a faim.*

1.   Madame Rémi va au café.   _____

2.   Nous allons à la plage.   _____

3.   J'achète un pull et un manteau.   _____

4.   Vous achetez une pizza.   _____

5.   Tu achètes un Coca-Cola.   _____

6.   Monsieur Thomas enlève (*takes off*) sa veste.   _____

B1.   DÉSIRS

Read what the following people do or like. Use this information to say whether or not they feel like doing certain things. Complete the sentences with the appropriate *affirmative* or *negative* forms of **avoir envie de**.

▷   **Jacques est au régime.**   *Il n'a pas envie de* _____ grossir.

1.   Thérèse est au régime.   _____ maigrir.

2.   Nous aimons voyager.   _____ aller en France.

3.   Vous regardez la télé.   _____ étudier.

4. J'achète un maillot de bain. _____ nager.

5. Mes amis rentrent chez eux. _____ aller au cinéma.

6. Antoine va à la bibliothèque. _____ acheter un magazine.

7. Tu vas au stade. _____ jouer au foot.

8. Nous allons au cinéma. _____ travailler.

C1.   OPINIONS PERSONNELLES

Say who or what is the best in the following categories. Use the *superlative* forms of the adjectives in parentheses.

▷ (drôle)   La comédienne   *la plus drôle est Carol Burnett* .

1. (drôle)   Le programme de télévision _____ .

2. (stupide)   Le programme de télévision _____ .

3. (économique)   La voiture _____ .

4. (confortable)   La voiture _____ .

5. (intéressante)   La classe _____ .

6. (beau)   L'acteur _____ .

7. (jolie)   L'actrice (*actress*) _____ .

8. (intelligente)   L'actrice _____ .

C2.   VOTRE VILLE

How well do you know your hometown or your neighborhood? What is the best restaurant? What is the least expensive movie theater? If you are not sure, guess.

▷ le restaurant (+ cher)   *Le restaurant le plus cher est « Maxim's ».*

▷ le restaurant (− cher)   *Le restaurant le moins cher est « Chez Pierre ».*

1. l'hôtel (+ grand)   _____

2. l'école (+ moderne)   _____

3. le restaurant (+ bon)   _____

4. les boutiques (− chères) _____

5. le restaurant (− bon)   _____

UNITÉ 4   EN VILLE

Leçon 5   Ici, on n'est pas en Amérique.

A1.   LES AFFAIRES SONT LES AFFAIRES. (*Business is business.*)

Read what the following people do. Use this information to tell what they sell. Complete the sentences with the appropriate forms of **vendre** and one of these products.

    des bananes   **des livres**   **des gâteaux**   **des chemises**   **des médicaments**   **des bottes**

1.   Paul et André travaillent dans une librairie (*bookstore*). Ils _____.

2.   Nous travaillons dans un magasin de chaussures. Nous _____.

3.   Ma tante est pharmacienne (*pharmacist*). Elle _____.

4.   Vous êtes un excellent pâtissier (*baker*). Vous _____.

5.   Je travaille chez un marchand de fruits (*fruit seller*). Je _____.

6.   Tu as un magasin de vêtements. Tu _____.

B1.   DANS VOTRE RÉGION

Imagine that a French journalist is writing an article about your region. He asks you if people in your area do the following things. Answer him in *affirmative* or *negative* sentences.

▷   **jouer au football?**   *On joue au football.*
                                           (On ne joue pas au football.)

1.   jouer au hockey? _____

2.   skier? _____

3.   aimer les sports? _____

4.   parler espagnol? _____

5.   être généreux? _____

6.   être conservateur? _____

7.   avoir chaud en été? _____

8.   avoir froid en hiver? _____

B2. **QU'EST-CE QU'ON FAIT?** (*What do we do?*)

What we do often depends on how we feel and what kind of person we are. Express this by completing the following sentences with one of the expressions in the box. Be logical!

▷ **Quand on a faim,** *on va au restaurant* .

1. Quand on a soif, _____ .

2. Quand on aime nager, _____ .

3. Quand on est riche, _____ .

4. Quand on est malade, _____ .

5. Quand on est sympathique, _____ .

6. Quand on est jeune, _____ .

7. Quand on a de la chance, _____ .

8. Quand on est impatient, _____ .

9. Quand on n'a pas d'appétit, _____ .

> maigrir
> réussir
> acheter des vêtements chers
> avoir beaucoup d'amis
> aller au restaurant
> aller au café
> rester à la maison
> aller à la plage
> détester attendre
> aimer voyager

V1. OÙ SOMMES-NOUS?

Imagine that you took your tape recorder along while going shopping. Play back your recording. From what the people are saying to the shopkeepers, can you tell where you were? You may consult the **Vocabulaire spécialisé** on p. 216 of your text.

les clients: **Où sommes-nous?**

▷   **Avez-vous ce disque?**   *chez le marchand de disques*

1.   Deux gâteaux, s'il vous plaît.   _____

2.   Combien coûtent ces sandales?   _____

3.   Un tube d'aspirine, s'il vous plaît.   _____

4.   Avez-vous des livres anglais?   _____

5.   Un kilo de bonbons, s'il vous plaît.   _____

6.   J'aime cette robe.   _____

C1. GÉOGRAPHIE

Complete the sentences with the names of the countries listed below. With each country, use the appropriate preposition: **au, aux, en.**

l'Espagne / les États-Unis / le Pérou / le Chili / l'Argentine /
la France / le Sénégal / le Canada / l'Angleterre / l'Australie

1.   On parle français   *en France,* _____ .

2.   On parle espagnol   _____ .

3.   On parle anglais   _____ .

LES JEUNES AMÉRICAINS

Your French pen pal, Henri, wants to learn more about American young people and what they do. Answer him in a short paragraph of 5 or 6 sentences, beginning with **on.** If you wish, you may use the following verbs:

jouer / étudier / travailler / aller / regarder / aimer / détester

_____

_____

_____

_____

_____

_____

_____

_____

RÉCRÉATION CULTURELLE

L'art de la persuasion

Advertising is part of our life. We see it everywhere—on TV, in the newspapers, in the streets, on buses—and we hear it on the radio. A good ad must convey a simple and direct message to the person who reads it: Buy our product and use our services.

Look at these French ads. Some may contain words which you do not know. However, if they are good ads, you should be able to understand their messages. Check how effective they are by answering the questions. (Answer them in French if you can!)

CHAUSSURES
PANCALDI
90 CHAMPS-ÉLYSÉES 75008 PARIS

1. What product is advertised? _____

2. What is the brand name of this product? _____

bien choisir... c'est choisir la *Samaritaine*

This ad has been placed by a large department store in Paris.

3. What is the name of the department store?

_____

4. What is the name of the shop which placed this ad?

_____

5. Where is it located?

_____

6. What type of product does it sell?

_____

7. Describe its clientele.

_____

Quality First

OLD ENGLAND

12, Bd des Capucines - Paris

*habille
l'homme, la femme et l'enfant
dans la meilleure
tradition anglaise.*

habiller = *to dress*

UNITÉ 4

RÉCRÉATION CULTURELLE

8. What products are advertised?

    _____

    _____

    _____

9. To what type of men is the ad addressed?

    _____

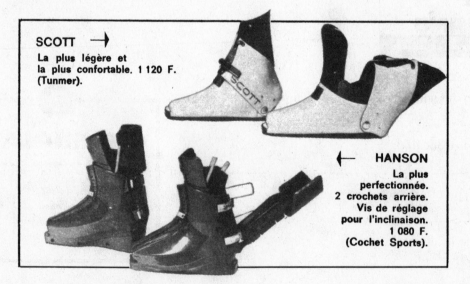

10. What products are advertised here? _____

11. Of the two brands advertised, which says that it is the most comfortable? _____

12. Is this brand also the most expensive? _____

RÉCRÉATION CULTURELLE

Les soldes (Sales)

The following ad announces sales on several items of clothing.

ACTUELLEMENT AVANT TRANSFORMATIONS

VENTE MASSIVE
LIQUIDATION DE NOTRE STOCK
A DES PRIX D'EXCEPTION

Inventaire déposé selon la loi de 1906 – Ceci est un extrait de la mise en vente

CHEMISERIE HOMMES	HOMMES ET JEUNES GENS	GARÇONNETS	DAMES	DAMES	FILLETTES
CHEMISES Nylon rayées Valeur : 25 **19,50**	Lot COSTUMES Valeur : 195 **159**	CABANS le 10 ans Valeur : 69 **49**	MANTEAUX Foamback Coloris mode Valeur : 119 **89**	ROBES Jersey Valeur : 69 **49**	PANTALONS velours et drap rayé, le 8 ans Valeur : 35 **29**
CHEMISES Sport en flanelle Valeur : 29,50 **25**	COSTUMES Tergal et Laine Valeur : 250 **199**	AUTO-COATS coloris mode Valeur : 89 **69**	MANTEAUX "Style Jeune" Valeur : 169 **139**	ROBES Jersey Valeur : 79 **59**	ROBES Jersey le 6 ans : Valeur : 45 **35**
BONNETERIE HOMMES	**HOMMES**	**GARÇONNETS**	**DAMES**	**DAMES**	**FILLETTES**
PULL-OVER ras du cou Valeur : 35 **29**	COSTUMES Valeur : 225 **179**	ANORAKS Mixtes en nylon, capuche amovible, Val. 52 **39**	MANTEAUX Fantaisie, col mouton, taille appuyée Valeur : 250 **195**	IMPERS Tergal Valeur : 119 **79** TRÈS GRAND CHOIX de JUPES SHETLAND et LAINAGE FANTAISIE	TRÈS GRAND CHOIX de JUPES le 6 ans Valeur : 29 **19**
PULL-OVER col roulé Valeur : 45 **39**	VESTONS en Tercryl Valeur : 189 **159**	CABANS Nylon matelassé Valeur : 69 **59**	MANTEAUX Shetland, Val. 295 **259**		

CHOIX CONSIDÉRABLE D'ARTICLES DE QUALITÉ A DES PRIX SACRIFIÉS

SiGRAND Covelt

2, place Jean-Jaurès
TOURS
Ouvert de 10 h à 19 h 30 sauf le Dimanche

vestons *jackets*
cabans *pea jackets*
impers *raincoats*

1. What is the name of the shop which placed the ad? _____

2. In which city is it located? _____

3. When is the shop open? _____

4. Fill in the box below with the names of the types of clothing which are on sale. Place each item in the appropriate category.

hommes	dames	jeunes garçons (garçonnets)	petites filles (fillettes)

RÉCRÉATION CULTURELLE

Les kilos superflus

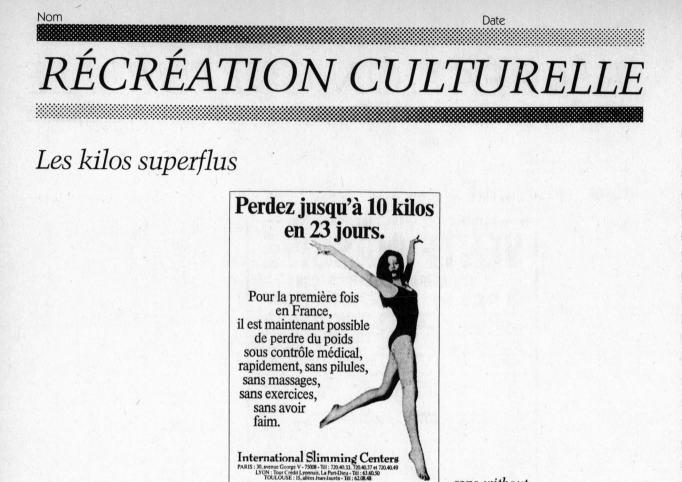

Perdez jusqu'à 10 kilos en 23 jours.

Pour la première fois
en France,
il est maintenant possible
de perdre du poids
sous contrôle médical,
rapidement, sans pilules,
sans massages,
sans exercices,
sans avoir
faim.

International Slimming Centers
PARIS : 30, avenue George V - 75008 - Tél : 720.40.33, 720.40.37 et 720.40.49
LYON : Tour Crédit Lyonnais, La Part-Dieu - Tél : 63.60.50
TOULOUSE : 15, allées Jean-Jaurès - Tél : 62.08.48

sans *without*

1. Which company placed this ad? _____
2. In which French cities are these centers located? _____
3. How many kilos can a person lose? _____ In how many days? _____
4. Does the method involve a very strict diet? _____

Comment payer par chèque

French people use checks in the same way Americans do. Look at the check below. The amount to be paid is written in numbers in the top right-hand corner. Then it is written out in letters. Below this, one writes the name of the person to be paid. Finally, one dates and signs the check.

série E
C.I.O groupe CIC   **CRÉDIT INDUSTRIEL DE L'OUEST**   B.P.F. *200*

payez contre ce chèque **deux cents francs** _____
somme en toutes lettres

à l'ordre de **Monsieur François Vergne**

PAYABLE   *le 21 octobre 1981*

TOURS
18, Bd Béranger
(240)

240 021438 H. Mr Jean-Paul VALETTE

n° du chèque

⑈5685478   ⑈839930047176⑈ 024002143807⑈

RÉCRÉATION CULTURELLE

Now imagine that you have spent three days in Paris at the **Hôtel Niel.** You have just received the following bill.

```
              HOTEL  NIEL ★ NN
    ·····················································
          11, RUE SAUSSIER LEROY - 75017 - PARIS
                    TÉL. : 227. 99-29

                            APPARTEMENT N°  23
    Monsieur  Durand      le 28 juillet 1981

    ┌────────────────────────────────┬──────────────┐
    │ Prix  120 F  par jour          │              │
    │ du 26 juillet au 28 juillet     │      360     │
    │   soit 3 jours                  │              │
    │ Lit supplémentaire … … … …      │              │
    │ Téléphone … … … … … …           │       40     │
    │ Bains … … … … … … …             │              │
    │ Petit déjeuner … … … … …        │              │
    │ Consommations … … … … …         │              │
    │                                 │              │
    │                                 │              │
    │                                 │              │
    │                                 │              │
    │ TOTAL. … …                      │      400     │
    │ Arrhes … … … …                  │              │
    │ NET A PAYER … …                 │      400     │
    └────────────────────────────────┴──────────────┘
    R. C. PARIS 59 A 17083
```

Use the blank check to pay the hotel.

```
 série E                                              B.P.F. _____
 C.I.O   [◘◘]      CRÉDIT  INDUSTRIEL  DE  L'OUEST
         groupe CIC

  payez contre ce chèque _____
                         somme en toutes lettres
  _____
  à l'ordre de _____
  ┌──────────────────────┐                        le _____ 19 ____
  │      PAYABLE          │
  │                       │    240 021438 H.  Mr Jean-Paul VALETTE
  │      TOURS            │
  │   18, Bd Béranger     │
  │          (240)        │
  └──────────────────────┘
  n° du chèque

   ⑈5685⑈79   ⑆8399300⑈7176⑆ 024002143807⑈
```

UNITÉ 5: *Au jour le jour*

INTRODUCTION: What you will do and learn in *Unité 5*

LESSON OPENERS

You will learn more about the daily life of young French people.

NOTES CULTURELLES

You will learn what kinds of leisure-time activities young French people enjoy. You will also learn about the foreign languages that French students study.

(Beginning with this unit, the *Notes culturelles* are in French.)

ACTIVITÉS

You will learn how: *page in your textbook*

STRUCTURE

You will learn five new verbs: *espérer* (to hope), *boire* (to drink), *venir* (to come), *faire* (to do, make), and *prendre* (to take). You will learn a new verb form, the imperative. You will also learn about the partitive article.

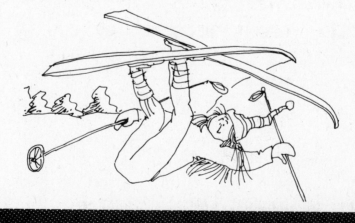

UNITÉ 5 AU JOUR LE JOUR

Leçon 1 Il n'y a pas de démocratie!

A1. OPINIONS PERSONNELLES

Give your personal opinions about the following topics by using the suggested adjectives in affirmative or negative sentences. Be sure to use the appropriate definite article with the noun. To help you, the *feminine* nouns are marked with an asterisk (°).

▷ **français / difficile?**   *Le français n'est pas difficile.*

1. argent / nécessaire?   _____
2. violence° / stupide?   _____
3. musique° classique / intéressante?   _____
4. adultes / conservateurs?   _____
5. filles° / indépendantes?   _____
6. garçons / généreux?   _____
7. voitures° américaines / économiques?   _____
8. films américains / intelligents?   _____

A2. CATÉGORIES

Complete the following sentences with two nouns from the box. Note that these nouns are in the singular. *Feminine* nouns are indicated with an asterisk (°).

▷ *Le français et l'espagnol sont* des langues (*languages*).

1. _____ des sports.
2. _____ des fruits.
3. _____ des arts.
4. _____ des sciences.
5. _____ des animaux.

chat	banane°
espagnol	musique°
ski	biologie°
français	géologie°
tennis	orange°
chien	sculpture°

B1. LEURS SPORTS PRÉFÉRÉS

The following people were asked to name their favorite sports. Express their answers by completing the sentences with the appropriate forms of **préférer.**

1. Mes cousines _____ le tennis.
2. Je _____ le volley.
3. Nous _____ le football américain.

4. Jacques _____ le hockey.

5. Vous _____ le basket.

6. Tu _____ le water-polo.

C1. VOTRE EMPLOI DU TEMPS (*Your class schedule*)

Fill in your class schedule in French. Complete the chart by writing in the times and the appropriate subjects.

anglais / français / espagnol / latin / biologie / chimie (*chemistry*) /
**physique / sciences sociales / histoire / maths / sport / gymnastique /
travaux manuels** (*shop*) / **couture** (*sewing*) / **dessin** (*art*) / **musique /
cuisine** (*cooking*)

jours heures	lundi	mardi	mercredi	jeudi	vendredi

Now complete the following sentences:

1. Le lundi, *j'ai une classe de français, une classe* _____
_____ .

2. Le jeudi, _____
_____ .

UNITÉ 5 AU JOUR LE JOUR

Leçon 2 Une minute . . . J'arrive!

V1. **LE MENU**

Imagine that you have been asked by the owner of a French restaurant to design a menu. You have
drawn the following illustrations. Now, next to each drawing, write the name of that item.

Menu

_____

_____

_____

_____

_____

_____

_____

_____

A1. LA DESCRIPTION DU MENU

Now explain to a customer what there is on the menu. Complete the following sentences.

▷ **Comme entrée** (*For the first course*), **il y a** *de la soupe* .

1. Comme viande, il y a _____ et _____ .
2. Comme dessert, il y a _____ et _____ .
3. Comme boisson, il y a _____ et _____ .

A2. UN CLIENT DIFFICILE

No matter what the waiter suggests, the customer has already decided on something else. Play the role of the customer by filling in the blank with **Je désire +** partitive article. (Note: The dishes the customer wants are the *opposite* gender of those suggested by the waiter.)

le garçon: **le client:**

▷ **Nous avons de la glace.**   *Je désire du* _____ gâteau.

1. Nous avons du ketchup. _____ mayonnaise.
2. Nous avons de la sole. _____ caviar.
3. Nous avons du poulet. _____ omelette.
4. Désirez-vous de la salade? _____ fromage.
5. Voici du pudding. _____ crème (*custard*).
6. Voici de la limonade. _____ Coca-Cola.

A3. ET VOUS?

You are in a French restaurant and the waiter is offering you the following choices. Tell him what you would like. (Nouns with an asterisk are *feminine*.)

▷ **soupe° ou omelette°?**   *Je désire de la soupe (de l'omelette).*

1. poisson ou viande°? _____

2. rosbif ou poulet? _____

3. salade° ou fromage? _____

4. gâteau ou glace°? _____

5. thé ou café? _____

6. limonade° ou Coca-Cola? _____

B1. UN VÉGÉTARIEN

Paul, a vegetarian, is having lunch at a restaurant. Write what he will say when the waiter offers the following foods.

▷ **(la salade)**   *Oui, je mange de la salade.*

▷ **(le rosbif)**   *Non, je ne mange pas de rosbif.*

1. (le pain) _____

2. (la soupe) _____

3. (la glace) _____

4. (le poulet) _____

5. (le jambon) _____

6. (le porc) _____

C1. À LA SURPRISE-PARTIE

Say what the guests are drinking at the party. Complete the sentences with the appropriate forms of **boire**.

1. Alain _____ du Coca-Cola.

2. Jacqueline _____ de la limonade.

3. Hélène et Georgette _____ du thé.

4. Louis et Paul _____ du punch.

5. Je _____ du café.

6. Tu _____ de l'eau minérale.

7. Nous _____ de la bière.

8. Vous _____ du champagne.

V2. CHEZ NOUS

Which of the items listed in the **Vocabulaire spécialisé** on pages 229 and 232–233 of your text can you find at your house? Write what you discover.

Dans notre réfrigérateur, il y a _____

_____

_____

_____

_____

UNITÉ 5 AU JOUR LE JOUR

Leçon 3 L'ABC de la santé

V1.   LE CLUB DES JEUNES

Imagine that you are preparing a poster to advertise the activities of a French youth club. Write the name of the activity for each illustration.

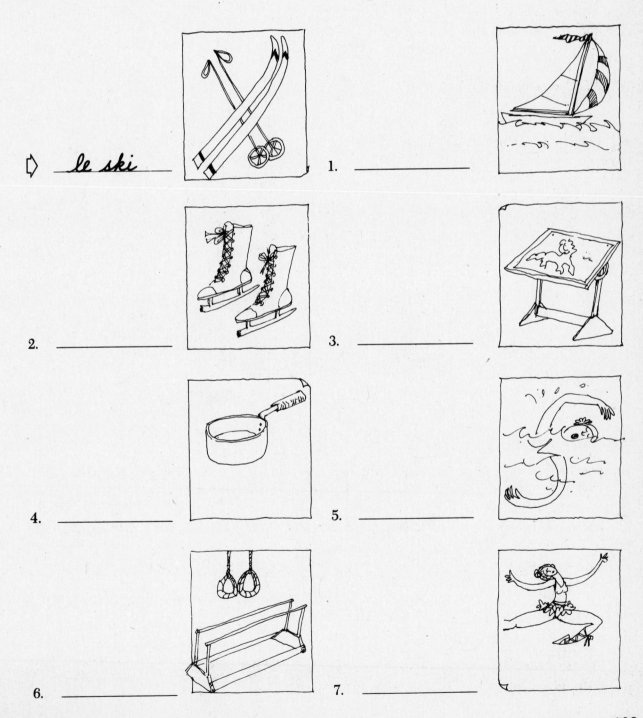

⇨ *le ski*

1. _____

2. _____

3. _____

4. _____

5. _____

6. _____

7. _____

A1. CONSEILS À UN AMI FRANÇAIS (*Advice to a French friend*)

Imagine that a French friend is going to visit this country but does not have much time or much money. For each of the following possibilities, tell him what he should *do* and what he should *not do*.

▷ visiter / New York ou San Francisco?

Visite New York. Ne visite pas San Francisco.
(Ne visite pas San Francisco. Visite New York.)

1. voyager / en bus ou en avion (*plane*)?

   _____

2. choisir / un hôtel cher ou un hôtel bon marché?

   _____

3. aller / en Floride ou au Texas?

   _____

4. boire / du lait ou du jus d'orange?

   _____

A2. AU RÉGIME!

Imagine that you are a doctor in France. A patient wants to lose weight. Tell him what *to do* and what *not to do*, using the **vous** form of the imperative of the following expressions.

▷ manger de la viande?   *Mangez de la viande! (Ne mangez pas de viande!)*

1. jouer au tennis?   _____

2. aller à la piscine?   _____

3. manger des fruits?   _____

4. manger beaucoup?   _____

5. boire de l'eau minérale?   _____

6. boire du whisky?   _____

B1.   AU CHOIX (*Your choice*)

Your mother has given you a shopping list where you have the choice of what to buy. Say which item you like and which you are going to get.

la liste: vous:

▷   **lait ou Coca-Cola**   *J'aime le lait. Je vais acheter du lait.*
                                          (J'aime le Coca-Cola. Je vais acheter du Coca-Cola.)

1.   jambon ou poulet   _____

2.   viande ou poisson   _____

3.   gâteau ou glace   _____

4.   salade ou soupe   _____

5.   jus d'orange ou eau minérale   _____

B2.   CHEZ JEAN

Last summer Joe worked in a French restaurant called "Chez Jean." He remembers hearing the following sentences but cannot decide which of the two expressions in parentheses was used. Help him.

▷   (du / le)   J'aime ____*le*____ jambon.

1.   (la / de la)   Est-ce que vous aimez _____ salade?

2.   (le / du)   Est-ce qu'il y a _____ poulet au menu?

3.   (un / du)   Au dîner, je bois toujours _____ vin.

4.   (un / du)   Je vais commander _____ sandwich.

5.   (une / de la)   Le Coca-Cola est _____ boisson américaine.

6.   (Le / Du)   _____ gâteau est excellent!

7.   (un / du)   Est-ce que vous désirez _____ lait avec votre café?

8.   (une / de l')   Comme (*For*) dessert, je vais choisir _____ orange.

9.   (un / du)   Voici _____ caviar!

10. (la / une)   Désirez-vous _____ ou deux glaces?

DÎNER

Tell what you had for dinner yesterday. For each dish, tell whether you like it or not. Start your sentences with **J'ai mangé** (*I ate*) or **J'ai bu** (*I drank*).

_____

_____

_____

_____

_____

UNITÉ 5 AU JOUR LE JOUR
Leçon 4 Tout s'explique!

A1. ATTENTION!

Students are not always paying attention! Read what the following people are doing during French class and say whether or not they are paying attention. To do this, use the appropriate forms of **faire attention** in *affirmative* or *negative* sentences.

▷ **Thomas parle avec sa petite amie.** *Il ne fait pas attention.* _____

1. Nous écoutons le professeur. _____

2. Mélanie regarde son livre de maths. _____

3. Vous étudiez les verbes irréguliers. _____

4. Paul et Antoine pensent au week-end. _____

5. Tu regardes le professeur. _____

6. Je prépare les exercices. _____

B1. LEURS PASSE-TEMPS (*Their pastimes*)

Read what the following people have, and use this information to describe their favorite pastimes. Use the construction **faire de** and one of the following activities:

le vélo / la photo / la voile / la natation / le dessin / le judo / le tennis / le ski

▷ **Laure a une raquette.** *Elle fait du tennis.* _____

1. Ma cousine a des skis français. _____

2. Nous avons un kimono (*judo suit*). _____

3. J'ai des crayons. _____

4. Mon oncle a un bateau (*boat*). _____

5. Tu as un appareil-photo. _____

6. Vous avez un beau maillot de bain. _____

7. Henri a une bicyclette anglaise. _____

C1. D'OÙ VIENNENT-ILS?

Suzanne, who is not a good observer, wonders where her friends have been. Can you tell her? Complete the following sentences with the appropriate forms of **revenir + de +** one of the following places: **la bibliothèque / le restaurant / la pharmacie / le magasin de disques / la pâtisserie / le supermarché / le court de tennis.** (Remember: **de + le = du**)

▷ Jacques a un tube d'aspirine. Il _revient de la pharmacie_ .

1. J'ai des disques. Je _____ .

2. Nous avons nos raquettes. Nous _____ .

3. Martine n'a pas faim. Elle _____ .

4. Françoise et Colette ont des gâteaux. Elles _____ .

5. Vous avez des fruits. Vous _____ .

6. Tu as tes livres. Tu _____ .

ACTIVITÉ DE RÉVISION.   UN PUZZLE

Jerry knows that for each description the blanks can be filled in with **est, a, va,** or **fait;** but he does not know which verb goes where. Help him.

1. Pierre _____ très athlétique. Il _____ du tennis. Il _____ une belle raquette. Il _____ au stade.

2. Jacqueline _____ française. En classe, elle _____ de l'anglais. Elle _____ des cousins américains. Cet été, elle _____ aller chez eux.

3. Suzanne _____ très musicienne (*musical*). Elle _____ une guitare. Elle _____ aussi du piano. Ce soir, elle _____ au concert avec des amis.

4. Jean-Louis _____ du ski. Il _____ un chalet dans les montagnes (*mountains*) où il _____ en hiver. C'_____ un excellent skieur.

PASSE-TEMPS PERSONNELS (*Individual pastimes*)

Describe your pastimes by completing the following sentences.

1. En été, _____ .

2. En hiver, _____ .

3. Au printemps, _____ .

4. En automne, _____ .

UNITÉ 5 AU JOUR LE JOUR
Leçon 5 Week-end en Normandie

A1. À PRENDRE ET À NE PAS LAISSER (*Take it—don't leave it*)

To perform certain activities, people must take along certain things. Complete each of the following sentences by writing what each person must take. Use the appropriate form of **prendre** and one of the following objects:

argent / appareil-photo / livres / raquette / maillot de bain / vélo / skis

▷ **Paul va jouer au tennis.** *Il prend sa raquette.* _____

1. Ma sœur va nager. _____
2. Les élèves vont en classe. _____
3. Je vais en ville acheter les disques. _____
4. Tu vas prendre des photos. _____
5. Vous faites un pique-nique à la campagne. _____
6. Nous allons faire du ski. _____

B1. EN FRANCE!

Imagine that you are the leader of a group of American students going to France. Suggest that you all do (or don't do) the following things.

▷ **visiter le musée d'Art Moderne?** *Visitons le musée d'Art Moderne!*
(Ne visitons pas le musée d'Art Moderne!)

1. parler anglais? _____
2. téléphoner à nos parents? _____
3. acheter des souvenirs? _____
4. aller dans un restaurant très cher? _____
5. choisir un hôtel bon marché? _____
6. boire du champagne? _____
7. prendre des photos? _____
8. faire une promenade en taxi? _____

C1. BRAVO?

Certain occasions make us happy. Others do not. Describe what has just happened to the people below, using the expression **venir de.** Then decide whether these people are happy or not. Use the adjective **content** in your second sentence.

▷ Mon père ___*vient d'*___ avoir un accident. *Il n'est pas content !*

1. Les élèves _____ avoir un «A» à l'examen. _____

2. Nous _____ apprendre une mauvaise nouvelle (*piece of news*). _____

   _____

3. Tu _____ perdre le match de tennis. _____

4. Paul _____ téléphoner à sa petite amie. _____

5. M. et Mme Dupont _____ avoir un enfant. _____

C2. POURQUOI?

Read what the following people are doing. Then explain why they feel as they do afterwards.

▷ **Paul joue au foot.**

   Il est fatigué *parce qu'il vient de jouer au foot* _____ .

1. Mon petit frère mange un kilo de bonbons.

   Il est malade _____ .

2. Mes parents achètent une nouvelle voiture.

   Ils sont contents _____ .

3. Tu fais une promenade avec ta petite amie.

   Tu es content _____ .

4. Nous perdons le match.

   Nous sommes furieux _____ .

UN VOYAGE EN FRANCE

Imagine that you are traveling with a group of students in France. Make some suggestions as to what you might do, using the **nous** form of the imperative of verbs such as **aller, prendre, visiter, regarder, passer par** (*to go by*).

_____

_____

_____

_____

RÉCRÉATION CULTURELLE

Au café

The café is the place where many young people go when they have some free time. There they meet their friends, listen to music, read the newspaper, and relax . . . while having a sandwich or something to drink. Look at the illustration.

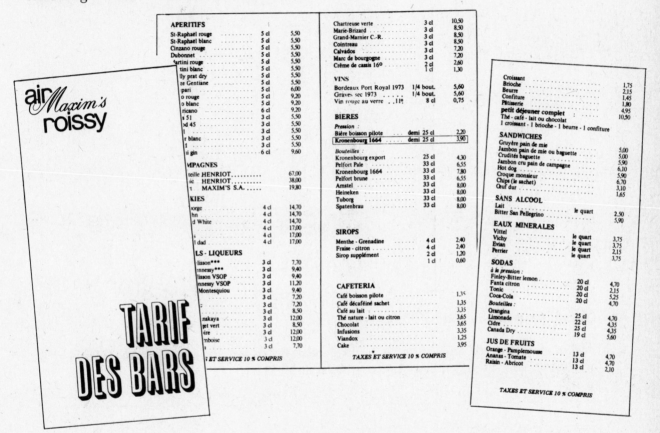

This is the **liste des consommations,** or menu, of **Air Maxim's,** a café located at the new Charles de Gaulle airport in Roissy, outside Paris.

1. Which **pâtisseries** can you identify? _____

2. What kinds of sandwiches do you recognize? _____

3. What kinds of fruit juice do you recognize? _____

4. How much does a glass of **Coca-Cola** cost in francs? _____

5. What would that be in U.S. dollars? (exchange rate: $1.00 = 4 francs) _____

6. Is this more or less expensive than what you would pay in your town? _____
_____

UNITÉ 5

RÉCRÉATION CULTURELLE

Look at this check. The waiter gives the customer the check when he brings the order. Note that the check has been torn. After the customer has paid, the waiter tears the check.

```
AIR MAXIM'S ROISSY
    LE CERCLE



   0000 3.20   TH

   0000 3.20   S

  TAXES ET SERVICE
    10 % INCLUS

   569    28  I  76
```

7. Is the tip (**le service**) included in the price? _____

8. Now imagine that you are waiting for your plane at Roissy and have gone to **Air Maxim's**. List three things you will order. Then prepare the **addition** (*check*).

_____

_____

_____

```
AIR MAXIM'S ROISSY
    LE CERCLE






  TAXES ET SERVICE
    10 % INCLUS

   569    28  I  76
```

RÉCRÉATION CULTURELLE

Au cinéma

Going to the movies is one of the favorite pastimes of young people in France.

Look at the movie ticket (**billet de cinéma**).

1. What is the name of the theater? _____

2. How much does the movie cost? _____

Look at the ads for the two movies.

3. Have you seen this movie? _____

4. What type of movie is it? _____

5. Who is the main actor? _____

   Who is the main actress? _____

6. Have you seen other movies with these stars? Which ones?

   _____

7. What is the French title of this movie?

   _____

8. Is this the same as its English title? _____

9. What type of movie is it? _____

10. Who is the main actor? _____

    Who is the main actress? _____

11. Who directed the movie? _____

12. Have you seen other movies by this director? Which ones?

    _____

RÉCRÉATION CULTURELLE

À la télé ce soir

In France, TV viewers have the choice between three channels:
TF 1, Antenne 2, and France 3.

Look at the schedule for April 14.

1. What type of program is being shown on TF 1? _____

   _____

2. What types of programs are being shown on Antenne 2? _____

   _____

3. What types of programs are being shown on France 3? _____

   _____

4. Which channel would you watch? _____

   Why? _____

   _____

   _____

feuilleton *series*

La France à bicyclette

One of the best ways to see the French countryside is by bicycle. But this is not always easy when the distances are long or when the terrain is mountainous. To encourage tourism, the French national railroad system (the **SNCF: Société Nationale des Chemins de Fers Français**) has devised a formula which combines the advantages of taking the train and then riding a bicycle. This formula (**train + vélo**) allows you to rent (**louer**) a bicycle at the train station (**la gare**) of your destination. Read the brochure and answer the following questions.

Comment louer un vélo?

Vous présentez une pièce d'identité et vous versez une caution de 100 F. En restituant le vélo vous payez le montant de la location : 15 F par jour ou 10 F par demi-journée (prix au 1er janvier 1978)

Dans la limite des disponibilités, la réservation est possible. Adressez-vous au chef de la gare concernée.

1. What type of papers do you have to show? _____

2. What is the deposit (**la caution**)? _____

3. How much does the rental cost per day? _____

4. Is it possible to reserve a bicycle in advance? _____

RÉCRÉATION CULTURELLE

Les Jeux Olympiques

The Olympic Games were held in a French-speaking city, Montréal, in the summer of 1976.

1. Look at the schedule of events and circle all the sports you can identify.

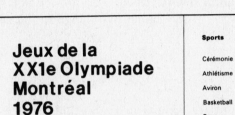

Jeux de la XX1e Olympiade Montréal 1976

17 juillet 1er août 1976

Je sais...

Sports	S 17	D 18	L 19	M 20	M 21	J 22	V 23	S 24	D 25	L 26	M 27	M 28	J 29	V 30	S 31	D 1
Cérémonie d'ouverture	•															
Athlétisme					•	•	•	•			•	•	•	•	•	
Aviron		•	•	•	•	•	•									
Basketball		•	•	•	•	•		•	•		•					
Boxe		•	•	•	•			•	•		•	•	•			
Canoë													•	•	•	
Cyclisme	R		•	•	•	•		•	•							
Escrime			•	•	•	•	•	•		•						
Football (soccer)	•	•	•	•	•	•	•					•	•			
Gymnastique		•	•	•	•	•	•									
Haltérophilie		•	•	•	•	•	•	•		•	•					
Handball		•	•	•	•		•		•		•		•	•		
Hockey (sur gazon)		•	•	•	•	•	•	•	•	•	•	•	•			
Judo										•	•	•	•	•	•	
Lutte		•	•	•	•			•	•	•	•		•	•		
Natation		•	•	•	•	•	•									
Pentathlon moderne		•	•	•	•	•										
Sports équestres							•	•		•		•		•		•
Tir		•	•	•	•	•	•									
Tir à l'arc											•	•	•	•		
Volleyball		•	•	•	•	•	•			•	•	•	•	•	•	
Yachting					•	•	•	•		•	•					
Cérémonie de clôture																•

Imagine that you were at the 1976 Olympics.

2. Which two events would you like to have attended?

_____

3. On which dates were these events held? _____

Look at the ticket below.

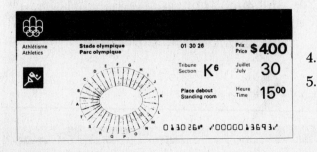

Athlétisme / Athletics — Stade olympique / Parc olympique — 01 30 26 — Prix / Price **$400** — Tribune Section **K⁶** — Juillet / July **30** — Place debout / Standing room — Heure / Time **15⁰⁰**

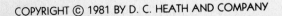

4. How much did it cost? _____

5. Which event was it for? _____

UNITÉ 6: Un fana de football

INTRODUCTION: What you will do and learn in *Unité 6*

LESSON OPENERS

The five lesson openers of this unit make up a mini-drama about Jean-Marc, a French student and avid soccer fan. A few days before an important professional game, Jean-Marc gets the flu and has to stay home. Will he go to the game anyway, against the doctor's advice?

NOTES CULTURELLES

You will learn about two sports that are popular in France, soccer and tennis, about using French telephones, and about family discipline.

ACTIVITÉS

You will learn how: *page in your textbook*

   to ask questions 273–274
   to talk about your body and your health 271, 274–276
   to describe your house 280
   to describe past events, such as your
       activities of the past weekend 280–282, 282–283, 284, 290,
                                                              291, 292, 297, 298, 303–306

(Beginning with this unit, the direction lines of the various activities in your text are in French.)

STRUCTURE

This unit focuses on the *passé composé*, a tense used to describe past events. You will also learn the verbs *voir* (to see), *mettre* (to put), *sortir* (to go out), *partir* (to leave), and *dormir* (to sleep).

UNITÉ 6   UN FANA DE FOOTBALL
Leçon 1   Jean-Marc est malade.

A1.   ÊTRE OU AVOIR?

Complete the following sentences with the appropriate forms of **être** and **avoir**.

▷   **Jacqueline** ____*a*____ **la grippe. Elle** ___*est*___ **malade.**

1.   Nous _____ fatigués. Nous _____ de la fièvre.

2.   Robert _____ content. Il _____ rendez-vous avec Nathalie.

3.   Vous _____ des idées amusantes. Vous _____ drôles!

4.   Mon oncle _____ une Rolls Royce. Il _____ riche!

5.   J'_____ quinze ans. Je _____ jeune.

6.   Mes cousins _____ français. Ils _____ un appartement à Paris.

7.   Tu _____ beaucoup d'amis parce que tu _____ sympathique.

B1.   AVEC QUI?

Paul wants to know with whom his friends are. Write his questions, using inversion and subject pronouns.

▷   **Janine danse.**   *Avec qui danse-t-elle?* _____

1.   Christophe danse.   _____

2.   Jacques dîne.   _____

3.   Suzanne parle.   _____

4.   Françoise étudie.   _____

5.   Marie et Claire jouent au tennis.   _____

6.   Jean et André sont en ville.   _____

7.   Christine et Sylvie travaillent.   _____

8.   Marc et Pierre visitent Paris.   _____

V1. LEÇON D'ANATOMIE

Write the names of the parts of the body corresponding to the numbers in the illustration. Be sure to use the appropriate forms of the *definite* article.

1. _____
2. _____
3. _____
4. _____
5. _____
6. _____
7. _____
8. _____
9. _____

C1. PAUVRE VICTOR

Victor is always complaining about his health. Complete his sentences using **à +** the appropriate part or parts of the body.

▷ **Quand je regarde la télévision, j'ai mal** *à la tête et aux yeux* _____.

1. Quand je joue au foot, j'ai mal _____.
2. Quand je mange des bonbons, j'ai mal _____.
3. Quand j'ai la grippe, j'ai mal _____.
4. Quand je fais une longue promenade, j'ai mal _____.
5. Quand j'écoute un concert de musique pop, j'ai mal _____.

C2. L'EXAMEN DE FRANÇAIS

To avoid taking the French test, everyone stayed home, complaining of a sudden ailment. Write a different excuse for each of the following students. Use the **Vocabulaire spécialisé: Les parties du corps** on p. 275 of your text.

▷ **Georges** *a mal à la tête* _____.

1. J' _____.
2. Nous _____.
3. Monique _____.
4. Antoine _____.
5. Gérard et Éric _____.
6. Mireille et Anne-Marie _____.

UNITÉ 6   UN FANA DE FOOTBALL

Leçon 2   Jean-Marc a de la chance.

V1.   OÙ SONT-ILS?

Read what the following people are doing and say in which room of the house they are. (You may want to consult the **Vocabulaire spécialisé** on p. 280 of your text.)

▷ **Mon père fait le café.**   *Il est dans la cuisine.*

1. Paul prépare le dîner. _____

2. Jeanne prend un bain (*bath*). _____

3. Je regarde la télé. _____

4. Vous étudiez. _____

5. Nous dînons. _____

6. Tu es au lit. _____

A1.   LE MARCHÉ AUX PUCES (*The flea market*)

Le marché aux puces in Paris is a place where you can buy almost anything. Say what each of the following people bought and how much they spent. Use the **passé composé** of **acheter** in the first sentence, and the **passé composé** of **dépenser** in the second.

▷ **Jacques** *a acheté* **deux disques.** *Il a dépensé 14 francs.*

1. Ma mère _____ une chaise. _____

2. J'_____ un chat. _____

3. Mes sœurs _____ deux chemises. _____

4. Tu _____ un poisson rouge. _____

5. Catherine _____ un chapeau. _____

6. Vous _____ une guitare. _____

7. Thomas et Paul _____ un chat et un oiseau. _____

8. Nous _____ une chemise et un chapeau. _____

B1. SAMEDI DERNIER

Last Saturday the following people went to the places mentioned in parentheses. From this information, say whether or not they did certain things. Use the **passé composé** of the expressions below in *affirmative* or *negative* sentences.

▷ (à la plage) nager / étudier

Charles _a nagé. Il n'a pas étudié._

1. (à la piscine) nager / regarder les garçons / étudier

   Monique et Suzanne _____

2. (en ville) acheter des disques / visiter un musée / travailler

   Nous _____

3. (au restaurant) dîner / manger du rosbif / préparer le dîner

   Ma mère _____

4. (dans une discothèque) danser / écouter la musique / jouer au tennis

   Christine _____

C1. À LA MAISON DES JEUNES

Michèle and her friends spent last Sunday at the **Maison des Jeunes.** Say what each one did, using the **passé composé** of **faire.**

1. Michèle _____ de la danse.
2. Paul _____ du judo.
3. Antoine et Marc _____ de la sculpture.
4. J'_____ du ping-pong.
5. Tu _____ du théâtre.
6. Nous _____ de la musique.
7. Vous _____ du piano.

JOURNAL PERSONNEL (*Personal diary*)

Say what you did or did not do last weekend. Use the following verbs in the **passé composé:**

étudier? / travailler? / jouer: à quel sport? / inviter: qui? / téléphoner: à qui? / dîner: où? / regarder: quels programmes? / faire une promenade: comment? où? avec qui?

_____

_____

_____

_____

UNITÉ 6   UN FANA DE FOOTBALL
Leçon 3   Une invitation ratée

A1.   LE KALÉIDOSCOPE

Mariette is passing around her kaleidoscope, and everyone sees something different. Complete the sentences with the appropriate forms of **voir**.

1.   Raymond _____ des fleurs (*flowers*).

2.   Annie et Francine _____ des roses.

3.   Nous _____ la tour Eiffel.

4.   Vous _____ des cercles bleus et rouges.

5.   Tu _____ des rectangles jaunes et verts.

6.   Henri _____ des constellations.

7.   Paul et Pascal _____ une tulipe.

8.   Moi, je _____ des étoiles (*stars*).

B1.   OUI OU NON?

Read about the following people and say what they did or did not do. Use the **passé composé** of the verbs in parentheses in *affirmative* or *negative* sentences.

▷   **Nous avons bien joué. Nous** *n'avons pas perdu* le match.   (perdre)

1.   Henri n'est pas patient. Il _____ ses amis.   (attendre)

2.   Les élèves ne font pas attention. Ils _____ la question.   (entendre)

3.   J'ai besoin d'argent. J'_____ ma guitare.   (vendre)

4.   Anne n'a pas bien joué. Elle _____ le match.   (perdre)

5.   Tu as étudié. Tu _____ ton temps!   (perdre)

6.   Nous sommes patients. Nous _____ Henri.   (attendre)

7.   Philippe est de mauvaise humeur (*in a bad mood*).

     Il _____ à sa mère.   (répondre)

C1.   PAUVRE ANTOINE!

Antoine is not lucky. Describe what happened to him by filling in the blanks with the **il** form of the **passé composé** of the verbs in parentheses.

1.   (vendre)   Antoine _____ sa moto.

2.   (acheter)   Il _____ une voiture.

3.   (célébrer)   Il _____ l'occasion avec ses amis.

4. (boire) Il _____ du champagne.

5. (avoir) Il _____ un accident.

6. (être) Il _____ à l'hôpital.

7. (passer) Il _____ trois jours là-bas.

8. (vendre) Finalement, il _____ sa nouvelle voiture.

D1. QUAND?

Many things happened while François was away on vacation. On his return, he asks when these things occurred. Write his questions, beginning each sentence with **quand** and using inversion with the appropriate *subject pronouns*.

▷ Jacqueline a téléphoné. *Quand a-t-elle téléphoné?*

1. Robert a visité Québec. _____

2. Pierre et Henri ont été à Chicago. _____

3. Suzanne et Monique ont été à Rome. _____

4. Michèle a visité New York. _____

5. Marc a acheté une moto. _____

6. Annie a acheté une voiture. _____

7. Jacques a vendu sa guitare. _____

8. Irène a vendu son banjo. _____

UNE PAGE DE JOURNAL (*A diary page*)

Write about the various things you did yesterday. You may want to use the following verbs:

attendre / boire / manger / voir / téléphoner à / répondre à

_____

_____

_____

_____

_____

UNITÉ 6   UN FANA DE FOOTBALL

Leçon 4   Jean-Marc désobéit.

A1.   QU'EST-CE QU'ILS METTENT?

Read what the following people are doing or are going to do. On the basis of this information, write a sentence using the verb **mettre** and one of the items in the box.

1.   Nous désirons regarder le match de foot. Nous _____ .

2.   Jacqueline va à la plage. Elle _____ .

3.   Vous allez dîner. Vous _____ .

4.   Paul désire écouter du jazz. Il _____ .

5.   Je vais jouer au tennis. Je _____ .

6.   Mes cousins vont au restaurant. Ils _____ .

7.   Tu as froid. Tu _____ .

un pull	la table
un maillot de bain	la télé
un short et un tee-shirt	un disque
des vêtements élégants	

B1.   LES BONS ET LES MAUVAIS ÉLÈVES

Yesterday the math teacher announced a test for today and told the students to study. Some obeyed and others did not. Express this by using the **passé composé** of **obéir** in affirmative or negative sentences.

▷   **Charles a regardé la télé.**   *Il n'a pas obéi.* _____

1.   Jacqueline a étudié.   _____

2.   Tu as joué au ping-pong.   _____

3.   Vous avez invité vos amis chez vous.   _____

4.   J'ai fait les exercices.   _____

5.   Mes amis ont préparé l'examen.   _____

6.   Jean-Claude a vu un western.   _____

7.   Thérèse a organisé une surprise-partie.   _____

8.   Nous avons fait les problèmes.   _____

B2. DIALOGUES

Complete each of the following dialogs. Select from the box the verb which is most appropriate to each situation. Then complete the dialog with the appropriate **passé composé** forms of the verb you have chosen. Note that the *second* sentence may be *affirmative* or *negative*.

> **finir**
> **choisir**
> **réussir**
> **maigrir**
> **obéir**

1. —Qu'est-ce que tu _____ comme (*for*) dessert?

   —J'_____ de la glace.

2. —Est-ce que Pierre _____ pendant les vacances?

   —Oui, il _____ . Il a perdu 10 kilos.

3. —Est-ce que vous _____ à l'examen?

   —Non, nous _____ . Nous avons eu un «F».

4. —À quelle heure est-ce que le concert _____ hier?

   —Il _____ à minuit.

5. —Est-ce que ton frère _____ à ton père?

   —Non, il _____ et il a été puni (*punished*).

C1. C'EST ÉVIDENT! (*It's obvious!*)

You can tell what people have done if you know what they are like. Fill in the blanks with the **passé composé** of the verbs in parentheses.

▷ Jacques est sérieux. Il *a promis* de travailler.   (promettre)

1. Nathalie n'aime pas marcher. Elle _____ le bus.   (prendre)

2. Isabelle est élégante. Elle _____ une belle robe.   (mettre)

3. Éric n'est pas rapide. Il _____ deux heures pour faire les courses.   (mettre)

4. Hélène est intelligente. Elle _____ le problème.   (comprendre)

5. Jacqueline est une excellente élève. Elle _____ les verbes.   (apprendre)

UNE PAGE DE JOURNAL (*A diary page*)

Describe some of the things you did yesterday using the following verbs:

**mettre: quels vêtements? / prendre: le bus? un taxi? / manger: à quelle heure? /
choisir: quels plats (*dishes*)? / regarder la télé: quels programmes? /
finir les exercices de français: à quelle heure?**

_____

_____

_____

_____

UNITÉ 6   UN FANA DE FOOTBALL

Leçon 5   Jean-Marc a décidé d'obéir.

A1.   **UN CERCLE D'AMIS**

In this circle of friends, everyone is going out with the next person. Write about who goes out with whom until you have closed the circle.

Je sors avec Mathilde. Mathilde sort avec

_____

_____

_____

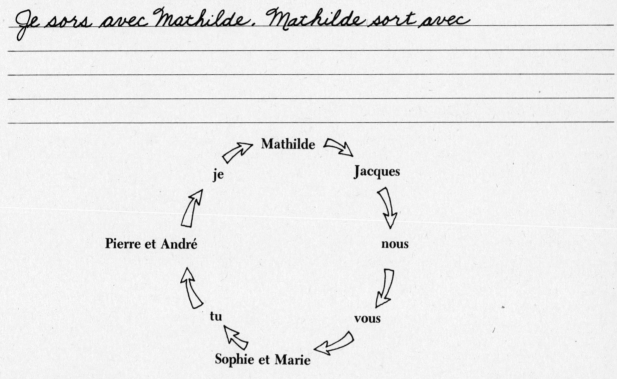

B1.   **QUI PARLE?**

Read the following sentences and determine who is the speaker—Jacques or Annette. Check the appropriate column.

Jacques   Annette

1.   Je suis allée à la plage.
2.   Je suis sorti avec Paulette.
3.   Je suis rentré à deux heures.
4.   Je ne suis pas allé à New York.
5.   Je suis passée par Genève.

B2. CAMBRIOLAGE (*Burglary*)

Imagine that last night you were witness to the burglary of an antique shop. Here is what you see. Prepare your report to the police by putting the sentences in the **passé composé**.

➩ Un homme arrive en voiture.   *Un homme est arrivé en voiture.*

1. Il entre dans le magasin. _____
2. Il passe par la fenêtre (*window*). _____
3. Il sort avec un grand sac. _____
4. Il monte dans sa voiture. _____
5. Il part très rapidement. _____

B3. LE VOYAGE DE BRIGITTE ROBOT

Imagine that you are covering the American trip of Brigitte Robot, a French actress. Here are your notes. Rewrite them using the **passé composé**. (Be careful! Some of the verbs are conjugated with **être** and others with **avoir**.)

➩ arriver à New York   *Elle est arrivée à New York.*

➩ prendre un taxi   *Elle a pris un taxi.*

1. aller à son hôtel _____
2. parler avec les journalistes _____
3. aller dans un magasin _____
4. acheter une robe _____
5. revenir à l'hôtel _____
6. sortir avec un ami _____
7. dîner dans un restaurant chinois _____
8. rentrer à minuit

B4. VOYAGES

The following people spent a month in France. Describe the things they did during their trip by using the **passé composé** of the verbs in parentheses. (Be careful! Some of the verbs are conjugated with **être** and others with **avoir**.)

1. Paul (arriver, visiter, monter)

    Il _____ à Paris le 2 juillet.

    Il _____ le Centre Pompidou.

    Il _____ à la tour Eiffel.

2. Juliette (aller, rester, faire)

    Elle _____ à Annecy en janvier.

    Elle _____ quatre semaines là-bas.

    Elle _____ du ski.

3. Thomas et Louis (aller, nager, partir)

    Ils _____ à Nice.

    Ils _____ dans la Méditerranée.

    Ils _____ le 2 août.

4. Hélène et Béatrice (passer, faire, sortir)

    Elles _____ par Nice.

    Elles _____ de la voile.

    Elles _____ avec leurs cousins.

UNE PAGE DE JOURNAL (*A diary page*)

Write six sentences describing a recent trip . . . real or imaginary.

_____

_____

_____

_____

_____

_____

_____

_____

_____

RÉCRÉATION CULTURELLE

Un appartement à Paris

People who live in Paris and other large French cities often live in apartments. Some of these apartments are in old buildings. Others are in very modern apartment houses. Because space is at a premium in the cities, French apartments are usually quite small.

Here is the floor plan of an apartment which is located in a modern building in Paris. It is larger than the typical Parisian apartment. Note its dimensions:

5 P (**5 pièces** = *5 rooms*)
109 M² (**109 mètres carrés** = *109 square meters,* or about 1,190 square feet)

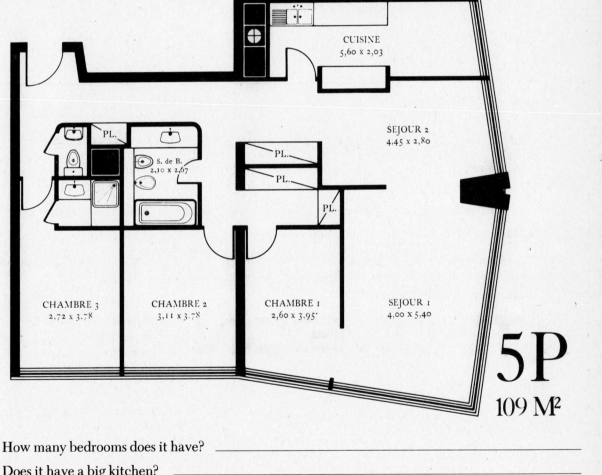

1. How many bedrooms does it have? _____

2. Does it have a big kitchen? _____

3. How many full bathrooms does it have? _____

The **salle de séjour** (or **séjour**) is the room where the family gets together.

4. In your opinion, what is the room called **séjour 2** used for? _____

UNITÉ 6

RÉCRÉATION CULTURELLE

Now imagine that a French friend has asked you to draw a floor plan of the place where you live. Draw the sketch and label each room in French.

L'équipement ménager (Household appliances)

Modern homes not only have furniture—such as tables, chairs, and beds—but they also have many electrical appliances which help perform the daily chores and make life more pleasant.

Thomson is a French company which manufactures such electrical appliances and fixtures.

Imagine that you have been asked by Thomson to prepare a bilingual ad for their products.

Write the English equivalents of the appliances listed in the ad below. (Hints to help you guess the meanings of new words: **laver** = *to wash;* **geler** = *to freeze;* **vaisselle** = *dishes*)

THOMSON

machines à laver
réfrigérateurs
congélateurs
cuisinières
lave-vaisselle
téléviseurs
magnétophones
électrophones
transistors
hi-fi

SDRM : 67, quai Paul Doumer - B.P. 130 - 92402 Courbevoie - Tél. 788-33-33

1. _____
2. _____
3. _____
4. _____
5. _____

6. _____
7. _____
8. _____
9. _____
10. _____

RÉCRÉATION CULTURELLE

Une petite annonce (A classified ad)

The following ad offers an apartment for rent in the **Quartier Latin**, which is the student district of Paris.

QUARTIER LATIN

Apt. 2 ch., s.d.b., cuis., tél., 1.500 F./mois
Tél.: Mme Meslay 293.36.62

Abbreviations are often used in ads. In the space below, rewrite the ad you have just read, spelling out all the abbreviations.

RÉCRÉATION CULTURELLE

Vacances en Touraine

Chère Marie-Luce,
  Nous sommes arrivés à
Tours samedi dernier.
Hier, nous avons visité
le château de Chenonceaux.
Ensuite, nous sommes
allés nager dans le Cher.
Quelles belles vacances!
  Je t'embrasse,
       Nicole

Fabrication française   Reproduction interdite

Mademoiselle
Marie-Luce Fabre
125, rue de Sèvres
75006   Paris

This postcard was written by Nicole Descroix. Nicole is spending the vacation with her family in Touraine, one of the most picturesque provinces of France. Touraine, whose main city is Tours, is known for its many castles, built by the kings of France during the Middle Ages (12th to 14th centuries) and the Renaissance (15th to 16th centuries). It is also the region of France where the best French is spoken. In the summer, the well-known **Institut de Touraine** welcomes hundreds of students who have come from all parts of the world to improve their French and to learn about French culture and civilization.

RÉCRÉATION CULTURELLE

Look at the map of Touraine.

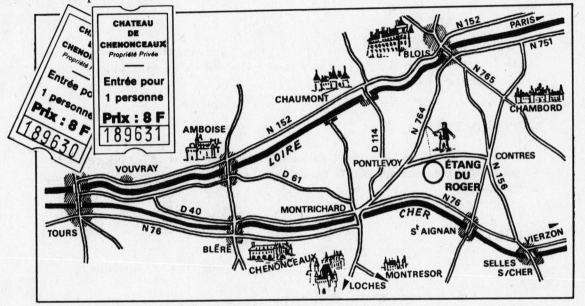

1. Can you find the **Château de Chenonceaux** which Nicole mentioned in her postcard? _____

2. How much does it cost to visit that castle? _____

3. Write the names of some other castles in Touraine. _____

_____

The illustration on the left is a flyer advertising festivities (**fêtes**) at a well-known castle.

4. What is the name of the castle?

_____

Can you locate it on the map?

5. Why is **Amboise** called a **cité royale?**

_____

6. When are these festivities being held?

_____

_____

_____

UNITÉ 7: *Nous et les autres*

INTRODUCTION: What you will do and learn in *Unité* 7

LESSON OPENERS

You will read about some of the attitudes of French teenagers toward their friends and their family. You will also learn how they feel about the spending money they receive from their parents.

NOTES CULTURELLES

You will learn about various aspects of teenage social life: how to introduce someone, what compliments people make, and the importance of good manners and pocket money.

ACTIVITÉS

You will learn how:

page in your textbook

STRUCTURE

You will learn new pronouns and new negative expressions. You will also learn several new verbs: *connaître* (to know), *savoir* (to know), *dire* (to say, tell), *lire* (to read), and *écrire* (to write).

UNITÉ 7 NOUS ET LES AUTRES
Leçon 1 Chantage

A1.   VIVE LES VACANCES!

Say that the following people never do the things mentioned in parentheses during their vacations.

▷ (travailler) Monsieur Martin *ne travaille jamais* _____ pendant les vacances.

1. (travailler)   Mes amis _____ .
2. (téléphoner à ses clients)   Le docteur Thibault _____ .
3. (aller au laboratoire)   Nous _____ .
4. (étudier)   Les élèves _____ .
5. (faire les courses)   Je _____ .

A2.   LA PREMIÈRE FOIS (*The first time*)

This summer the following people are going to do certain things which they never did before. Express this by using **ne . . . jamais** in sentences in the **passé composé**.

▷ **Paul va voyager.**   *Il n'a jamais voyagé.*

1. Thérèse va voyager en avion.   _____
2. Thomas va visiter Paris.   _____
3. Anne va travailler dans un restaurant.   _____
4. Michèle va faire de la voile.   _____
5. Henri va aller à Québec.   _____
6. Isabelle va aller à Tahiti.   _____

B1.   OUI ET NON

Charles likes Hélène very much, but he does not like her brothers Paul and Louis. First, write what he says to Hélène. Then, write what he says to her brothers.

	à Hélène:	à Paul et à Louis:
▷ (inviter)	*Je t'invite* au cinéma.	*Je ne vous invite pas au cinéma.*
1. (téléphoner)	_____ ce soir.	_____
2. (prêter)	_____ mes disques.	_____
3. (aider)	_____ avec ce problème.	_____

B2. RÉCIPROCITÉ

Reciprocity means that if you do something for your friends, they will do the same thing for you.
Express this idea according to the models. Be sure to make the verbs agree with the new subjects!

▷ J'aide Hélène.　　　　　　　　Hélène _m'aide_ .

▷ **Vous aidez Paul.**　　　　　　Paul _vous aide_ .

1. Je téléphone à Marc.　　　　　Marc _____ .

2. Tu invites André au cinéma.　André _____ au restaurant.

3. Nous aidons Guy avec le problème　Guy _____ avec l'examen de
   de maths.　　　　　　　　　　français.

4. Vous prêtez vos disques à Brigitte.　Brigitte _____ ses magazines.

5. J'attends Charlotte.　　　　　Charlotte _____ .

6. Vous aimez Denise.　　　　　Denise _____ .

C1. PROFESSIONS

Read where the following people work. From this information, tell what their professions are.

▷ **Madame Lescaut travaille dans un hôpital.** _Elle est médecin._ _____

1. Robert travaille dans un café. _____

2. Janine travaille dans un restaurant. _____

3. Mon oncle travaille pour un magazine français. _____

4. Ma cousine travaille dans un laboratoire. _____

5. Sophie et Suzanne travaillent dans un magasin. _____

6. Mademoiselle Germain travaille dans une école. _____

VOS AMIS

Are your friends helpful? Describe the things they do for you. You may use the following
suggestions:

> **téléphoner: quand?** / **inviter: où? à quelles occasions?** /
> **aider: dans quelles circonstances** (*circumstances*)**?** / **prêter: quelles choses?** /
> **donner: quelles choses?** / **comprendre?**

_____

_____

_____

_____

UNITÉ 7 NOUS ET LES AUTRES
Leçon 2 Un garçon génial

A1. CONNAISSANCES (*Acquaintances*)

Complete the following sentences with the appropriate forms of **connaître.** These sentences may be *affirmative* or *negative.*

1. Mes parents _____ mon professeur de français.

2. Je _____ le principal de l'école.

3. Mon meilleur ami _____ ma famille.

4. Mes parents et moi, nous _____ Paris.

5. Est-ce que vous _____ des étudiants français?

6. Est-ce que tu _____ le président américain?

B1. LES PHOTOS D'ISABELLE

While showing pictures of her friends, Isabelle makes comments about them. Complete her sentences with the appropriate *direct object pronouns.*

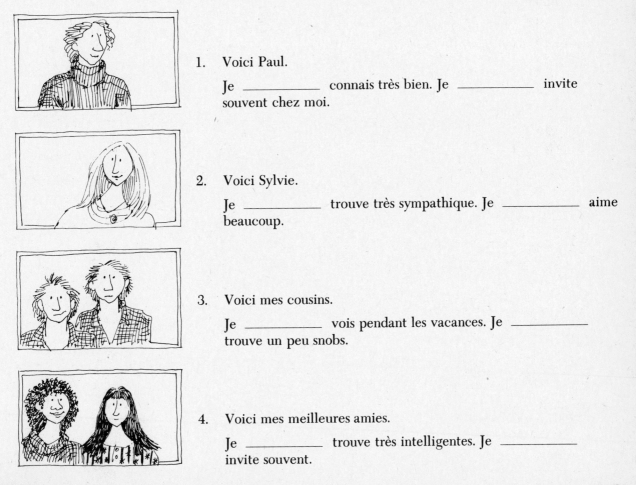

1. Voici Paul.

   Je _____ connais très bien. Je _____ invite souvent chez moi.

2. Voici Sylvie.

   Je _____ trouve très sympathique. Je _____ aime beaucoup.

3. Voici mes cousins.

   Je _____ vois pendant les vacances. Je _____ trouve un peu snobs.

4. Voici mes meilleures amies.

   Je _____ trouve très intelligentes. Je _____ invite souvent.

B2. CORRESPONDANCE

Henri, your French pen pal, has written you a letter in which he asks about your activities. Answer his questions affirmatively or negatively, using *direct object pronouns*.

▷ **Tu regardes la télé?**   *Oui, je la regarde. (Non, je ne la regarde pas.)*

1. Tu regardes les matchs de foot? _____
2. Tu écoutes la radio? _____
3. Tu écoutes souvent tes disques? _____
4. Tu aimes les westerns? _____
5. Tu prends le bus? _____
6. Tu invites souvent ton meilleur ami? _____
7. Tu aides ta mère? _____
8. Tu fais les courses? _____
9. Tu vois tes cousins? _____
10. Tu connais bien le principal? _____

B3. OPINIONS PERSONNELLES

Give your opinions about the following people using the verbs in parentheses in *affirmative* or *negative* sentences.

le président

1. (admirer, connaître, trouver intelligent)
    _____
    _____
    _____

Barbra Streisand

2. (connaître, trouver belle, voir dans les films)
    _____
    _____

vos parents

3. (comprendre, respecter, aider, écouter)
    _____
    _____

les Beatles

4. (connaître, écouter souvent, trouver mignons, trouver sympathiques)
    _____
    _____

UNITÉ 7 NOUS ET LES AUTRES

Leçon 3 Florence est amoureuse.

B1. LES BAGAGES (*Luggage*)

Imagine that Henri, your French pen pal, is going to spend Christmas vacation with you. He is asking you if he should bring the following things. Depending on what he will need at your home at that time of year, tell him *what to take* and *what not to take*.

Henri: **vous:**

▷ **Est-ce que je prends mon maillot de bain?** *Oui, prends-le. (Non, ne le prends pas.)*

1. Est-ce que je prends ma raquette de tennis? _____
2. Et mon anorak? _____
3. Et mes skis? _____
4. Et mes pulls? _____
5. Et mon short de tennis? _____
6. Et mes sandales? _____
7. Et ma tente de camping? _____
8. Et mon sac de couchage (*sleeping bag*)? _____

B2. D'ACCORD!

A French friend is offering to do the following things for you. Accept her offers.

votre amie: **vous:**

▷ **Je t'invite demain?** *Oui, invite-moi demain.*

1. Je te téléphone? _____
2. Je t'aide? _____
3. Je t'attends? _____
4. Je te prête mes disques? _____
5. Je te donne mon adresse? _____

C1. LEURS TALENTS

Read what the following people want to do, and say that they have the required talents. Complete the sentences below with the appropriate forms of **savoir** and one of the following expressions:

> **parler français et espagnol** / **jouer du violon** / **piloter un avion** /
> **faire la cuisine** / **parler japonais** / **vendre** / **réparer** (*to fix*) **les voitures**

⇨ **Catherine désire travailler à Tokyo.**   *Elle sait parler japonais.*

1. Henri désire être mécanicien (*mechanic*).   _____
2. Je désire être interprète.   _____
3. Mes cousins désirent être pilotes.   _____
4. Nous désirons jouer dans un orchestre.   _____
5. Vous désirez travailler dans un restaurant.   _____
6. Tu désires travailler dans un magasin.   _____

D1. JEAN ALLIDET

Imagine that you have been assigned by a French magazine to find out as much as you can about Jean Allidet, the pop singer. Report your findings to your boss by completing the sentences below with **Je sais** or **Je connais**.

1. _____ Jean Allidet.
2. _____ ses parents aussi.
3. _____ où il habite.
4. _____ quel est son sport préféré (*favorite*).
5. _____ où il dîne généralement.
6. _____ son restaurant préféré.
7. _____ avec qui il travaille.
8. _____ le music-hall où il chante.
9. _____ sa fiancée.

VOTRE MEILLEUR AMI

How well do you know your best friend? In a short paragraph, say whether or not you know his family and his friends. Also tell what he does or does not do.

_____

_____

_____

_____

_____

UNITÉ 7 NOUS ET LES AUTRES
Leçon 4 Un système efficace?

A1. MAUVAISE HUMEUR (*Bad temper*)

Jacques was so mad after he flunked his English test that he decided not to see anyone or do anything for the rest of the day. Write his answers to Stéphanie's questions.

Stéphanie:

Jacques:

▷ Est-ce que tu attends quelqu'un?   *Non, je n'attends personne.*

▷ Est-ce que tu attends quelque chose?   *Non, je n'attends rien.*

1. Est-ce que tu invites quelqu'un?   _____

2. Est-ce que tu désires quelque chose?   _____

3. Est-ce que tu achètes quelque chose?   _____

4. Est-ce que tu dînes avec quelqu'un?   _____

5. Est-ce que tu téléphones à quelqu'un?   _____

6. Est-ce que tu fais quelque chose?   _____

A2. FATIGUE

It is very late and the guests at the party are tired. No one is paying attention to what anyone else is doing. Express this idea according to the model.

▷ **jouer de la guitare / écouter**
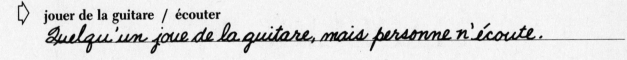
Quelqu'un joue de la guitare, mais personne n'écoute.

1. chanter / écouter

_____

2. parler / comprendre

_____

3. jouer du piano / faire attention

_____

4. demander quelque chose / répondre

_____

B1. JOYEUX ANNIVERSAIRE! (*Happy birthday!*)

Imagine that you have bought the following presents. Say to whom you are giving each one. Use the **je** form of **donner** and the appropriate *indirect object pronouns.*

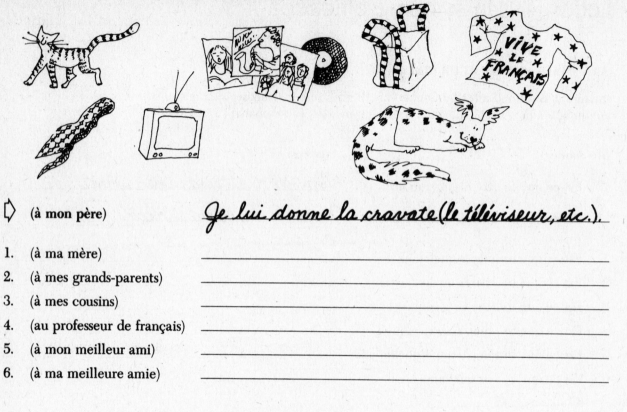

▷ (à mon père)   *Je lui donne la cravate (le téléviseur, etc.).*

1. (à ma mère) _____
2. (à mes grands-parents) _____
3. (à mes cousins) _____
4. (au professeur de français) _____
5. (à mon meilleur ami) _____
6. (à ma meilleure amie) _____

B2. QUESTIONS

Georges wants an explanation for whatever his girlfriend Irène does. Complete his questions, using the pronouns **lui** or **leur**.

Irène:

▷ **Je parle à Béatrice.**

1. Je téléphone à René.

2. Je rends visite à Lucie.

3. Je demande de l'argent à mes grands-parents.

4. Je donne mes disques à mes cousins.

5. Je vends mes livres à Nicole.

6. Je réponds toujours à mes amies.

Georges:

Pourquoi _est-ce que tu lui parles_ ?

À quelle heure _____ ?

Quand _____ ?

Combien d'argent _____ ?

Combien de disques _____ ?

Combien de livres _____ ?

Pourquoi _____ ?

C1. ROBERT ET FRANÇOISE

Robert says what he is doing today. Françoise tells him that she did the same things yesterday. Write Françoise's statements using the **passé composé** and the appropriate *direct* or *indirect* object pronouns.

Robert:

▷ **Je téléphone à Paul.**

1. Je téléphone à Brigitte.
2. Je parle au professeur.
3. Je rends visite à mes cousins.
4. J'invite Marc.
5. J'apprends le poème.

Françoise:

Je lui ai téléphoné hier.

1. _____
2. _____
3. _____
4. _____
5. _____

L'ANNIVERSAIRE DE NICOLE

Imagine that you are planning a surprise party for Nicole, a French exchange student whose birthday is coming up soon. Write an eight-line dialog in which your friends and you discuss the gifts you will buy for her.

_____

_____

_____

_____

_____

_____

_____

_____

Nom _____   Date _____

UNITÉ 7 NOUS ET LES AUTRES
Leçon 5 Êtes-vous sociable?

A1. EXCUSES

Stéphanie is out of luck. When she wants to go out with her friends, everyone is busy reading or writing something. Complete the following sentences with the appropriate present tense forms of **lire** (*odd numbers*) and **écrire** (*even numbers*).

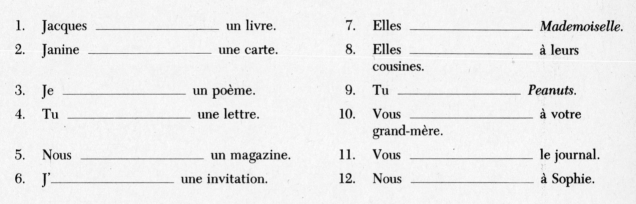

1. Jacques _____ un livre.
2. Janine _____ une carte.
3. Je _____ un poème.
4. Tu _____ une lettre.
5. Nous _____ un magazine.
6. J'_____ une invitation.
7. Elles _____ *Mademoiselle.*
8. Elles _____ à leurs cousines.
9. Tu _____ *Peanuts.*
10. Vous _____ à votre grand-mère.
11. Vous _____ le journal.
12. Nous _____ à Sophie.

A2. OUI OU NON?

Complete the following sentences with the appropriate forms of the present tense of **dire.**

1. Je _____ toujours la vérité.
2. Est-ce que les journalistes _____ souvent des mensonges?
3. Mon meilleur ami _____ des plaisanteries (*jokes*).
4. En classe, nous _____ des choses intéressantes.
5. Qu'est-ce que tu _____?
6. Est-ce que vous _____ la vérité?

B1. FILLES ET GARÇONS

Today the class is debating whether girls are as athletic as boys. Give each person's opinion, using the suggested expressions.

▷ **Charlotte / dire / oui**

Charlotte dit que oui.
_____

1. André / dire / non

_____

2. Paul / penser / c'est faux

_____

3. Thérèse / penser / c'est vrai

_____

4. nous / répondre / c'est évident

_____

5. vous / trouver / c'est une question idiote

_____

6. je / déclarer / il n'y a pas de différence

_____

Encore une qui fait du jogging...

Jennifer Lynch
avocate

"Le jogging, c'est un excellent exercice. Et une bonne occasion de réfléchir à la journée qui commence."

...en formaintenant!
PARTICIPACTION

C1. LE MONDE DE JEAN-FRANÇOIS (*Jean-François's world*)

Jean-François has divided the world into two categories: (A) the people he likes, and (B) the people he does not like. Describe how he acts with the people in each group, according to the model.

(A)

(B)

▷ Je __la__ trouve sympathique.

Je ne le trouve pas sympathique.

1. Je _____ aide.   _____

2. Je _____ téléphone souvent.   _____

3. Je _____ écris.   _____

4. Je _____ prête mes disques.   _____

5. Je _____ invite chez moi.   _____

Unité sept **153**

C2. ÊTES-VOUS SERVIABLE? (*Are you helpful?*)

Are you helpful? Of course you are! Write three things you would do for the following people in the circumstances mentioned below. You may use the following verbs:

acheter / aider / donner / écrire / inviter / parler / prêter / rendre visite / téléphoner

Be sure to use the appropriate *direct* or *indirect* object pronouns.

▷ **Ma meilleure amie a un problème avec sa famille.**

Je lui téléphone. Je l'aide. Je l'invite chez moi.

1. Mes grands-parents sont malades.

   _____

2. Ma cousine est à l'hôpital.

   _____

3. Mes amis viennent d'avoir un «F» à l'examen de français.

   _____

4. Mon meilleur ami a besoin d'argent.

   _____

5. Le professeur est malade.

   _____

6. Une amie organise une surprise-partie et a besoin d'aide (*help*).

   _____

RÉCRÉATION CULTURELLE

Le bulletin de notes (Report card)

French schools send out report cards at the end of each **trimestre** (*trimester*). The school year is divided into three trimesters. The first trimester goes from **la rentrée** (*the first day of school:* September 15) to **Noël**. The second trimester goes from **Noël** to the **vacances de printemps** (*spring vacation*). The third trimester goes until **les grandes vacances** (*summer vacation:* end of June).

Report cards vary from school to school. In some schools, grades are given on a scale from 0 to 20. Other schools now use the "A" to "F" system.

Look carefully at this French report card.

ÉCOLE MALESHERBES
81, boulevard Berthier, 75017 PARIS

Tél. 754 96-39

BULLETIN TRIMESTRIEL

NOM VERGNE
PRÉNOM Jean-Philippe   CLASSE 2ᵉ

	Notes sur 20	Place	sur
Épreuves écrites			
Orthographe ou Philosophie			
Exercices grammaticaux			
Composition française	14		
Sciences économiques	12		
Version latine	11		
Thème latin			
Mathématiques	08		
Sciences physiques	07		
Sciences d'observation			
Histoire et Géographie	15		
Anglais	14		
Allemand			
Espagnol	12		
Épreuves orales			
Récitation			
Anglais			
Allemand			
Espagnol			

TABLEAU D'HONNEUR

| CONDUITE | { Avertissement / Blâme |
| TRAVAIL | { Encouragement / Avertissement / Blâme |

OBSERVATIONS GÉNÉRALES

Bon travail malgré des problèmes en maths et en sciences.
Peut faire mieux. Doit faire des progrès s'il veut réussir.

Le 20 avril 1981

Le Directeur,
C. Gantzer

Il ne sera délivré aucun duplicatum de ce bulletin.

---

1. What is the name of the school? _____
2. Where is it located? _____
3. What is the name of the student? _____
4. Which languages does he study? _____
5. What are his strongest subjects? _____
6. What are his weakest subjects? _____
7. What does the principal think of the student? _____
_____

UNITÉ 7

RÉCRÉATION CULTURELLE

Une retenue (Staying after school)

When a student fails to perform, either because of poor work or a discipline problem, he or she may be kept after school. The parents of the student are then notified by the **bulletin de retenue**, which they sign and return to the principal.

Look at the **bulletin** below.

ÉCOLE MALESHERBES
81, BOULEVARD BERTHIER
75017 PARIS
TÉL. : 754 96-39

BULLETIN DE } CONSIGNE
DEVOIR SUPPLÉMENTAIRE

L'élève ___VINCENT, Paul___

classe de ___3ᵉ___ , subira le ___2 avril___

une RETENUE de ___16___ h. à ___17___ h.

pour le motif : ___indiscipline en classe d'anglais___

Les Parents :   Le Directeur :

                                 C. GANTZER

---

1. What is the name of the student? _____

2. How long does he have to stay after school? _____

3. Why is he being kept after school? _____

Offres d'emploi (Job offers)

One day you may be living in France and looking for a part-time or full-time job. Here are some help-wanted ads which appeared on the bulletin board of a student dormitory in Paris. Read them carefully.

HÔTEL
cherche jeune homme sérieux comme **GARDIEN DE NUIT**. Heures de travail: 20 h à 6 h, six jours par semaine.
Bonne rémunération. Excellentes conditions de travail.
Envoyez photo, références et prétentions de salaire à:
Monsieur DELAUNAY, chef du personnel
Hôtel de la Grande Cour
68, rue de Varenne   PARIS 7ᵉ

RÉCRÉATION CULTURELLE

MAGASIN DE DISQUES
cherche vendeur ou vendeuse pour samedis
après-midi.
Ambiance de travail sympathique.
Écrire à:

    Madame Maison
    "Le Popmusic Shop"
    18, boulevard Saint-Michel
    Paris 6ᵉ

AGENCE DE VOYAGES
cherche jeune homme ou jeune fille parlant anglais et
espagnol pour travail à mi-temps.
Bon salaire.
Écrire à: Mademoiselle de Malglaive
Europ Tours S.A.
2, place de l'Opéra
PARIS

Cherche étudiant ou étudiante de
nationalité américaine ou anglaise
pour donner cours d'anglais à
garçon de 14 ans
3 fois par semaine
Écrire à Madame Vergne
85, rue de la Boétie Paris 8ème

HÔTEL
cherche réceptionniste bilingue
(français-anglais)
EXCELLENT SALAIRE
Écrire à:
Monsieur MOREAU, directeur
Hôtel Vaneau
18, rue Vaneau   Paris 6ᵉ

Imagine that you are in Paris looking for work.

1.   Which ad interests you the most? Why? _____

Imagine that you are applying for this job. Write a short paragraph in French where you give your
qualifications for the job.

UNITÉ 8: «La Leçon»

INTRODUCTION: What you will do and learn in *Unité 8*

LESSON OPENERS

You will read a mini-drama about the preparation for and the aftermath of a school play.

NOTES CULTURELLES

You will learn about several aspects of life in France: the lycée, the theater, the café, and French cooking.

ACTIVITÉS

You will learn how: *page in your textbook*

STRUCTURE

You will learn four useful new verbs: *pouvoir* (to be able), *vouloir* (to want), *devoir* (to have to), and *ouvrir* (to open). You will also learn expressions of quantity and the pronoun *en*, which is often used with them.

UNITÉ 8 «LA LEÇON»

Leçon 1 Jean-Claude n'a pas de chance.

A1. QUAND ON VEUT . . .

Read about the following people. Then decide whether or not they want to do certain things. Fill in the blanks with the appropriate *affirmative* or *negative* forms of the present tense of **vouloir**.

▷ **Jacques est fatigué. Il** *ne veut pas* _____ jouer au tennis.

1. Françoise est ambitieuse. Elle _____ être la présidente de la classe.

2. Vous n'êtes pas fatigué. Vous _____ dormir.

3. Nous avons faim. Nous _____ manger un sandwich.

4. Charles a froid. Il _____ sortir.

5. Les élèves n'ont pas envie d'étudier. Ils _____ lire la leçon.

6. J'ai envie de voir un western. Je _____ aller au cinéma.

7. Tu es timide. Tu _____ parler en public.

8. Mes cousines aiment voyager. Elles _____ aller au Pérou.

B1. ÊTES-VOUS BON CONSEILLER? (*Are you a good adviser?*)

Imagine that you are a newspaper columnist and your readers write you for advice. Here are some of their problems. Write your advice for each one, using the appropriate present tense form of **devoir** or **pouvoir**. Use your imagination.

▷ **«Mon ami et moi, nous voulons aller à une surprise-partie, mais nous ne sommes pas invités.»**
Vous pouvez aller à cette surprise-partie
avec une jeune fille qui est invitée.

1. «Mes parents vont en France cet été. Qu'est-ce qu'ils peuvent faire?»

_____

_____

2. «Mon frère veut faire la connaissance (*to meet*) d'une jeune Française. Qu'est-ce qu'il doit faire?»

_____

_____

3. «Nous voulons faire une surprise à notre mère pour son anniversaire. Qu'est-ce que nous pouvons faire?»

_____

_____

4. «Je veux passer d'excellentes vacances, mais je n'ai pas beaucoup d'argent. Qu'est-ce que je peux faire?»

_____

_____

_____

5. «Mon professeur trouve que je ne sais pas assez de français. Qu'est-ce que je dois faire?»

_____

_____

_____

6. «Mes cousins vont en Europe pendant les vacances. Qu'est-ce qu'ils peuvent visiter?»

_____

_____

_____

C1. PLUS TARD! (*Later!*)

The following people are not doing certain things now, but are going to do them later. Express this by using the construction **aller +** infinitive and the appropriate *object pronouns.*

▷ Je ne téléphone pas à Paul. *Je vais lui téléphoner* _____ ce soir.

1. Je ne téléphone pas à mes cousins. _____ demain.

2. Henri n'invite pas Sylvie. _____ samedi.

3. Paul n'invite pas ses amies. _____ dimanche.

4. Tu n'écris pas à ton oncle. _____ la semaine prochaine.

5. Vous ne rendez pas visite à vos grands-parents. _____ cet été.

6. Je ne vends pas mon vélo. _____ en septembre.

L'AVENIR (*Your future*)

How do you see your future? Express your ideas by completing the following sentences.

1. Je ne veux pas _____ .

2. Je veux _____ .

3. Avant, je dois _____ .

4. Avec mon diplôme de high school, je peux _____

_____ .

5. Je ne peux pas _____ .

UNITÉ 8 «LA LEÇON»

Leçon 2 «La Leçon»

A1. ÊTES-VOUS BON ÉDITEUR?

You are editing the manuscript of an author who never uses adverbs. Replace the following expressions by an adverb ending in **-ment**.

▷   **d'une manière stupide**   *stupidement* _____

1.   d'une manière rapide   _____
2.   d'une manière facile   _____
3.   d'une manière terrible   _____
4.   d'une manière ordinaire   _____
5.   d'une manière simple   _____
6.   d'une manière normale   _____
7.   d'une manière difficile   _____
8.   d'une manière dangereuse   _____
9.   d'une manière courageuse   _____
10. d'une manière remarquable   _____

B1. LE PIQUE-NIQUE DE LA CLASSE

You are in charge of the class picnic. Everyone is to contribute ten francs to cover the costs. Below is what each person has. Tell each one if they have enough, not enough, too much, or much too much.

▷   **Jacques a 7 francs.**   *Ce n'est pas assez.* _____
▷   **Gisèle a 12 francs.**   *C'est trop.* _____

1.   Pierre a 8 francs.   _____
2.   Irène a 15 francs.   _____
3.   Philippe a 100 francs.   _____
4.   André a 10 francs.   _____
5.   Henri a 1.000 francs.   _____
6.   Nathalie a 16 francs.   _____

C1. AU RÉGIME

Doctor Farcot tells Sandrine that she eats too many sweet things (*lines 1–4*) and not enough meat and vegetables (*lines 5–8*). Write what he says.

⇨ du chocolat   *Vous mangez trop de chocolat.*

⇨ des tomates   *Vous ne mangez pas assez de tomates.*

1. de la glace _____

2. des gâteaux _____

3. du dessert _____

4. de la crème (*custard*) _____

5. du céleri _____

6. du jambon _____

7. du poulet _____

8. des carottes _____

C2. UN VANTARD (*A braggart*)

Georges likes to brag. Describe him by filling in the blanks with **beaucoup, beaucoup de,** or **beaucoup d'** as appropriate. (Note: **selon lui** means *according to him.*)

Georges parle (1) _____ . Il aime (2) _____ parler.

Il dit qu'il voyage (3) _____ . Il aime (4) _____ Paris parce qu'il y a

(5) _____ jolies filles dans cette ville. Il a (6) _____ amies en France.

Il aime (7) _____ les sports. Il fait (8) _____ ski en hiver et

(9) _____ tennis en été. Il aime (10) _____ la musique et il a

(11) _____ disques. Nous n'aimons pas (12) _____ Georges.

Nous pensons qu'il a (13) _____ imagination. Oui, (14) _____ trop

d'imagination!

J'AIME BEAUCOUP . . .

Write eight sentences saying what you like very much and what you do not like very much.

_____

_____

_____

_____

_____

_____

UNITÉ 8 «LA LEÇON»

Leçon 3 L'invitation de Jean-Claude

A1. ET VOUS?

You have just received a letter from your pen pal Henri in which he tells you the following things about himself. Tell him whether or not you do the same things. Be sure to use the pronoun y in appropriate *affirmative* and *negative* sentences.

la lettre d'Henri:

vous:

⟹ **Je vais souvent au concert.**

Moi aussi, j'y vais. (Moi, je n'y vais pas.)

1. Le week-end, je vais au cinéma. _____

2. En ce moment, je suis chez moi. _____

3. Ce soir, je dîne au restaurant. _____

4. Généralement, j'étudie à la bibliothèque. _____

5. Le dimanche matin, je reste chez moi. _____

6. Je vais souvent chez mes amis. _____

7. Je passe les vacances chez mes cousins. _____

8. Je mets mon argent à la banque (*bank*). _____

VI. DÉMÉNAGEMENTS (*Moving*)

François, a French college student, is moving into the room pictured below. He has asked you to help him move. Follow his instructions and put the various objects where he wants them. Sketch the objects in their right places.

1. Mets la table devant la fenêtre.

2. Mets le vase sur la table.

3. Mets le sac sous la table.

4. Mets le lit à gauche de la porte.

5. Mets la chaise entre le lit et la table.

6. Mets la lampe derrière la chaise.

V2.   LA CLASSE DE FRANÇAIS

Look at the seating arrangement in the French class. Then fill in the blanks in the sentences below with the appropriate expressions:

à droite de / à gauche de / devant / derrière / loin de / entre / près de

1.   Isabelle est _____ Alain et Thomas.

2.   Thomas est _____ Charles.

3.   Paul est _____ Isabelle.

4.   Michèle est _____ Alain.

5.   Luc est _____ Paul.

6.   Jean est _____ Sylvie.

7.   Michèle est _____ Jean et _____ Denise.

B1.   SUJETS DE CONVERSATION

Pauline, an exchange student from France, wants to know whether you and your friends discuss the following topics. Answer her, using the pronoun **en.**

Pauline: **vous:**

▷   **Parles-tu de politique?**   *Oui, j'en parle.*
                                    (Non, je n'en parle pas.)

1.   Parles-tu de sport?   _____

2.   Parles-tu de musique?   _____

3.   Parles-tu de télévision?   _____

4.   Parles-tu de tes parents?   _____

5.   Parles-tu de tes professeurs? _____

6.   Parles-tu de tes projets?   _____

UNE LETTRE DE FRANCE

Imagine that you have received a letter from Henri, your French pen pal, in which he asks you questions about your leisure activities and your vacation. Answer him. Try to use the pronoun y.

La lettre: «Aimes-tu le cinéma? le théâtre? les concerts? Aimes-tu les sports? Vas-tu souvent au stade? Le week-end, vas-tu à la campagne? En hiver, vas-tu en Floride ou restes-tu chez toi?»

Vous: J'aime le cinéma, mais je n'y vais pas souvent.

_____

_____

_____

_____

_____

UNITÉ 8 «LA LEÇON»

Leçon 4 Deux toasts

A1. QU'EST-CE QU'ILS OUVRENT?

Read about the following people. Using this information, complete the sentences with the appropriate *affirmative* or *negative* forms of the present tense of **ouvrir**.

1.   Il fait très froid. Nous _____ la fenêtre.

2.   Paul veut sortir. Il _____ la porte.

3.   Je veux du lait. J'_____ le réfrigérateur.

4.   Les élèves ne veulent pas étudier. Ils _____ leurs livres.

5.   Tu veux prendre ta voiture. Tu _____ le garage.

6.   Quand vous dormez, vous _____ les yeux.

B1. LES COURSES

Imagine that you want to prepare the following foods. Tell your brother to buy the necessary ingredients. Follow the model.

▷   (une salade de tomates)   *Achète des tomates, de l'huile, du vinaigre et du sel.*

1.   (une salade de fruits)   _____

2.   (une «banana split»)   _____

3.   (une purée de pommes de terre [*mashed potatoes*])   _____

4.   (une omelette)   _____

5.   (une omelette au jambon)   _____

C1. CAMPING

Monsieur Moreau gives his son Jean-Michel various things to take along on his camping trip. However, Jean-Michel wants a light backpack, so he does not accept all his father's suggestions. Write his answers, using **en** in *affirmative* or *negative* sentences.

Monsieur Moreau:	Jean-Michel:
▷ Veux-tu de l'aspirine?	Bien sûr, *j'en veux* _____ .
1. Veux-tu de l'argent?	Oui, _____ .
2. Veux-tu des enveloppes?	Non, _____ .

3. Veux-tu de la limonade? Oui, _____.

4. Veux-tu du Coca-Cola? Non merci, _____.

C2. CHEZ LE MÉDECIN

François is having his annual checkup. Each time that he answers **non** to one of the questions, Dr. Brunet tells him to change his habits. Complete the dialog below according to the model.

▷ le docteur: **Mangez-vous du pain?**
  François: Non, *je n'en mange pas* _____.
  le docteur: *Mangez - en !* _____

1. le docteur: Mangez-vous des oranges?
  François: Non, _____.
  le docteur: _____

2. le docteur: Faites-vous du sport?
  François: Non, _____.
  le docteur: _____

3. le docteur: Prenez-vous de l'aspirine?
  François: Non, _____.
  le docteur: _____

4. le docteur: Buvez-vous de l'eau minérale?
  François: Non, _____.
  le docteur: _____

C3. CONVERSATION

Nathalie, a student from France, is asking you the following questions. Answer her, using **en** in affirmative or negative sentences.

▷ **Tu fais du ski?**   *Oui, j'en fais. (Non, je n'en fais pas.)*

1. Tu as des amis français? _____.
2. Tu joues du piano? _____
3. Tu écoutes des disques français? _____
4. Tu donnes des surprises-parties? _____
5. Tu connais des filles sympathiques? _____
6. Tu organises des pique-niques? _____

UNITÉ 8 «LA LEÇON»

Leçon 5   Une mauvaise surprise!

V1.   REPAS

Do you remember at what time you ate your meals yesterday and which foods you had? Complete
the following sentences. Be sure to use **du, de la, de l'**, or **des** before the name of each food.

1. J'ai pris le petit déjeuner à _____ .

   J'ai mangé _____ .

2. J'ai déjeuné à _____ .

   J'ai mangé _____ .

3. J'ai dîné à _____ .

   J'ai mangé _____ .

V2.   À TABLE

The following people are at a restaurant. Read what they are having, and say which utensils they
are using.

➪   **Monsieur Leloup mange des spaghetti.**   *Il utilise une assiette et une fourchette.*

1. Madame Pinard boit du vin. _____

2. Nous buvons du café. _____

3. Tu manges un bifteck (*steak*) et des frites. _____

4. Je mange de la glace. _____

A1. CONVERSATION

Answer the following questions affirmatively or negatively, using **en**.

▷ **Faites-vous beaucoup de sport?**

Oui, j'en fais beaucoup. (Non, je n'en fais pas beaucoup.)

1. Avez-vous beaucoup d'amis?

   _____

2. Avez-vous beaucoup d'ambition?

   _____

3. Mangez-vous beaucoup de viande?

   _____

4. Buvez-vous beaucoup de Coca-Cola?

   _____

5. Connaissez-vous beaucoup de personnes très intelligentes?

   _____

6. Faites-vous beaucoup de progrès en français?

   _____

7. Lisez-vous beaucoup de livres?

   _____

8. À Noël, écrivez-vous beaucoup de lettres?

   _____

9. Achetez-vous beaucoup de disques?

   _____

B1. MARC ET IRÈNE

Jean-Luc wants to know if his friends Marc and Irène have certain objects. Write their answers.

Jean-Luc:	Marc:	Irène:
➩ **Tu as une bicyclette?**	*Oui, j'en ai une.*	*Non, je n'en ai pas.*
1. Tu as une voiture?	_____	_____
2. Tu as une guitare?	_____	_____
3. Tu as un appareil-photo?	_____	_____
4. Tu as une raquette?	_____	_____
5. Tu as un chapeau?	_____	_____

B2. ÉRIC ANDOUBLE

Whatever Paul has, Éric says he has twice as many. Complete Éric's answers accordingly.

Paul:	Éric:
➩ J'ai un vélo.	*J'en ai deux.*
1. J'ai deux raquettes.	_____
2. J'achète trois disques.	_____
3. J'invite une fille à la surprise-partie.	_____
4. Je mange deux sandwichs.	_____

B3.   NUL EN SCIENCES POLITIQUES (*Weak in political science*)

Your French pen pal Henri wrote the following statements about the United States government. Correct his errors.

Henri: **vous:**

▷ **Il y a 60 états** (*states*).   *Non, il y en a 50.*

1.   Il y a 103 sénateurs.   _____

2.   Il y a 46 gouverneurs.   _____

3.   Il y a 2 vice-présidents.   _____

4.   Il y a 4 sénateurs en Alaska.   _____

5.   Il y a 5 grands partis politiques.   _____

6.   Il y a 38 amendements à la Constitution. _____

RÉCRÉATION CULTURELLE

Un repas à la Martinique

As you know, Martinique is a French island in the Caribbean. Martinique has many small restaurants which naturally serve two types of food: traditional French food and native, or **créole,** food. Since Martinique is an island, the Creole cuisine is based essentially on products from the sea, especially shellfish.

Look at the menu. You will find many typical dishes such as:

oursins (*sea urchins*)   **crevettes** (*shrimp*)
crabes (*crabs*)   **lambi** (*conch*)
chatrou (*squid*)   **boudins créole** (*spicy blood sausages*)
langoustes (*small lobsters*)

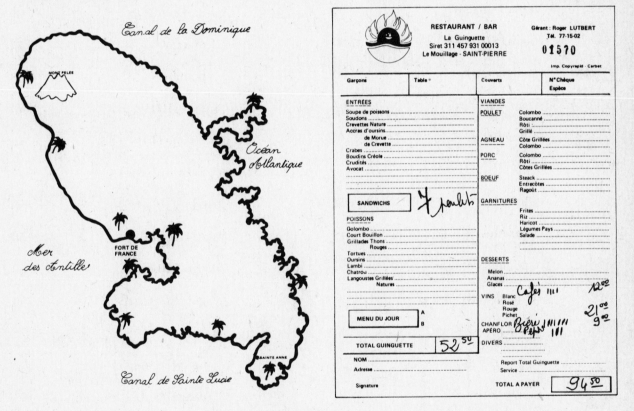

Imagine that you are having lunch at **La Guinguette,** a small restaurant on the beach near the city of Saint-Pierre. Will you choose the French cuisine or will you try the Creole specialties?

Write your selection in the box.

UNITÉ 8

173

RÉCRÉATION CULTURELLE

Attention aux calories!

Good eating habits include a balanced diet and an adequate calorie intake. This table gives the caloric values of various foods. Remember that French people use the metric system: 100 grams equal a little less than ¼ pound.

Aliments	Calories	Aliments	Calories
Viandes		**Fruits**	
bifteck (100 gr.)	230	1 banane	90
poulet (100 gr.)	200	1 orange	70
jambon (100 gr.)	240	1 pomme	70
veau° (100 gr.)	200	fraises (100 gr.)	40
porc (100 gr.)	350	pastèque (1 tranche)	50
Légumes		**Œufs, lait et produits dérivés**	
1 tomate	20	1 œuf	80
1 carotte	20	lait (1 verre)	150
1 pomme de terre	80	beurre (10 gr.)	80
haricots verts (100 gr.)	40	yogourt (1 tasse)	160
petits pois (100 gr.)	200	fromages	
céleri (100 gr.)	20	bleu (1 tranche)	200
salade verte	20	camembert (1 tranche)	160
radis	5	glace (1 portion)	200
Pain et céréales		**Boissons**	
pain (1 tranche)	70	eau minérale (1 verre)	0
spaghetti (1 tasse)	150	jus d'orange (1 verre)	80
		Coca-Cola (1 verre)	100
veau *veal* **tranche** *slice*		thé ou café (1 tasse)	0

RÉCRÉATION CULTURELLE

Now add up the calories of the three meals described below.

Petit déjeuner
2 œufs _____
1 toast avec du beurre _____
1 verre de jus d'orange _____
1 tasse de thé _____
      total: _____

Déjeuner
deux radis _____
1 bifteck de 100 gr. _____
2 pommes de terre _____
salade verte _____
1 tranche de camembert _____
1 verre d'eau minérale _____
      total: _____

Dîner
2 tranches de jambon _____
1 côtelette de porc _____
haricots verts _____
salade verte _____
1 orange _____
1 glace _____
1 café _____
      total: _____

Notre diététique

The number of calories a person needs per day depends on several factors: age, sex, and activity. Imagine that you are working as a dietitian. Prepare menus for the following people so that they consume the right amount of calories and the right balance of foods.

a) François is 18 years old and works as a mechanic. He needs 3,200 calories per day.
b) Madame Allard is 40 years old and has a weight problem. Her doctor told her to reduce her calorie intake to 1,600 calories per day.

les repas de François

                                   calories

petit _____ _____
déjeuner _____ _____
_____ _____

déjeuner _____ _____
_____ _____
_____ _____

dîner _____ _____
_____ _____
_____ _____

      total: _____

les repas de Madame Allard

                                   calories

petit _____ _____
déjeuner _____ _____
_____ _____

déjeuner _____ _____
_____ _____
_____ _____

dîner _____ _____
_____ _____
_____ _____

      total: _____

RÉCRÉATION CULTURELLE

Une recette française: la salade niçoise

Here is a simple recipe: **la salade niçoise**. Although it originated in southern France in the city of Nice (which explains its name: **niçoise**), the dish is popular in all regions of France. It is particularly enjoyed in the summer when a large salad may be the whole meal.

SALADE NIÇOISE

recette° pour 4 personnes

Prenez un grand bol.°
Dans ce bol, mettez quelques feuilles de laitue.°
Coupez° quatre tomates en tranches° et mettez-les dans le bol.
Ajoutez° d'autres feuilles de laitue.
Coupez deux œufs durs° en tranches et ajoutez-les à la salade.
Ajoutez aussi des anchois,° du thon° et, si vous voulez, du jambon coupé en cubes.
Ajoutez du sel et du poivre.°
Sur cette salade, versez° une cuillère de vinaigre et 3 cuillères d'huile.
Mettez la salade au réfrigérateur une demi-heure.
Votre salade est prête.° Vous pouvez la servir.
BON APPÉTIT!

---

recette *recipe*   **bol** *bowl*   **feuilles de laitue** *leaves of lettuce*   **Coupez** *Cut*   **tranches** *slices*
Ajoutez *Add*   **durs** *hard-boiled*   **anchois** *anchovies*   **thon** *tuna*   **poivre** *pepper*   **versez** *pour*
prête *ready*

Prepare a shopping list for a **salade niçoise** on the pad to the right. You may wish to try it yourself!

RÉCRÉATION CULTURELLE

À l'hôtel

Look at the hotel bill.

HOTEL ROBINSON		
A Beau-Rivage		
74 SÉVRIER - ANNECY		
Tél. (50) 45.09.43 - 45.34.75		

Mois d _Avril_	5	
Appartement	170.—	
Pension		
Petit déjeuner	15	
Déjeuner		
Thé		
Dîner	65	
Apéritifs		
Vins	20	
Bière		
Eaux minérales		
Liqueurs		
Café-Infusions		
Cigares-Cigarettes		
Bains		
Blanchissage-Repassage		
Téléphone-Télégraphe		
Garage		
Total du jour....	270.—	
Report		
A reporter.......		

Les notes sont payables chaque semaine N'emportez pas votre clef s.v.p. Merci

1. What is the name of the hotel? _____

2. Where is it located? _____

3. On which date did the guests stay at the hotel? _____

4. Does the hotel have a restaurant? _____

5. Which meals did the guests have? _____

6. What did they drink with dinner? _____

Imagine that you are in Annecy and want to go to this hotel. You have only American dollars. ($1.00 = 4 francs)

7. How much would you be charged for a room? _____

   For breakfast? _____ For dinner? _____

8. Do you consider this an expensive hotel? _____

   Explain. _____

TESTS DE CONTRÔLE • PRÉLUDE

TEST 1 LA LOTERIE (*The lottery*)

The following numbers have been drawn at a lottery. Write the numerals that correspond to the written numbers.

▷ **deux** _____2_____

1. vingt _____
2. quinze _____
3. trente _____
4. cinquante-quatre _____
5. quarante-huit _____
6. dix-neuf _____
7. treize _____
8. soixante _____

TEST 2 AVANT ET APRÈS (*Before and after*)

Write the numbers, days, months, seasons, or dates which come before and after those in the middle column.

Avant (*Before*)   **Après** (*After*)

▷ ___*un*___ **deux** ___*trois*___

1. _____ six _____
2. _____ neuf _____
3. _____ douze _____
4. _____ quinze _____
5. _____ vingt _____
6. _____ lundi _____
7. _____ jeudi _____
8. _____ février _____
9. _____ mai _____
10. _____ août _____
11. _____ hiver _____
12. _____ le cinq octobre _____
13. _____ le deux décembre _____

TEST 3 À L'AÉROPORT (*At the airport*)

Philippe does not need to look at his watch to know the time. He can tell, by looking at the arrival schedule and listening to the announcement, which plane is landing. Use his method and tell the time according to the model. (Note: **L'avion de Nice arrive** means *The plane from Nice is arriving.*)

ARRIVÉES	
Nice	2:00
Rome	1:00
Madrid	3:10
New York	4:15
Québec	5:30
Fort-de-France	6:45
Montréal	9:40

⇨ L'avion de Nice arrive.   *Il est deux heures !*

1. L'avion de Rome arrive. _____

2. L'avion de Madrid arrive. _____

3. L'avion de New York arrive. _____

4. L'avion de Québec arrive. _____

5. L'avion de Fort-de-France arrive. _____

6. L'avion de Montréal arrive. _____

TEST 4 LA CARTE DU TEMPS (*The weather map*)

Describe the weather in the cities below on the basis of the illustrations.

⇨ À Annecy   *il fait beau* _____.

1. À Paris _____.

2. À Marseille _____.

3. À Dijon _____.

4. À Strasbourg _____.

5. À Cannes _____.

6. À Grenoble _____.

TEST 5   PRÉSENTATIONS (*Introductions*)

Imagine that you are meeting Thérèse, a girl from Tours. Have a conversation with her, writing out your replies to what she says.

1. Thérèse: Bonjour!

    Toi: _____

2. Thérèse: Comment t'appelles-tu?

    Toi: _____

3. Thérèse: Ça va?

    Toi: _____

4. Thérèse: Au revoir!

    Toi: _____

TEST 6   EN FRANÇAIS (*In French*)

Imagine that you are accompanying a tourist bus in Paris. People ask you how to say the following things in French. Write out your answers.

1. *What time is it?* _____
2. *What day is it?* _____
3. *How's the weather?* _____
4. *Me too.* _____
5. *Thank you.* _____
6. *Excuse me.* _____

TEST 7   OUI OU NON? (*Yes or no?*)

Read the following statements. If the information is true, circle **oui**. If it is not true, circle **non**.

oui   non   1.   Nice is a popular resort on the French Riviera.

oui   non   2.   French people shake hands whenever they meet.

oui   non   3.   French students are less formal with their teachers than American students.

oui   non   4.   The familiar way of asking *How are you?* is **Comment allez-vous?**

oui   non   5.   Many French people have two first names.

oui   non   6.   Most French teenagers drink Coca-Cola with their meals.

oui   non   7.   The café plays a very important part in a French person's life.

oui   non   8.   The French national holiday, Bastille Day, is celebrated on July 14.

oui   non   9.   France is a very flat country.

oui   non   10. The French invented the metric system.

TESTS DE CONTRÔLE • UNITÉ 1
Structure

TEST 1   OÙ SONT-ILS?

Complete the following sentences with the appropriate forms of **être**.

1.   Pierre _____ avec Annette. Ils _____ au restaurant.

2.   Je _____ avec Denis. Nous _____ en ville.

3.   Tu _____ avec Sylvie. Vous _____ en vacances.

4.   Caroline _____ avec Thérèse. Elles _____ à la maison.

TEST 2   ACTIVITÉS

Describe what the following people do. Fill in the blanks with the appropriate forms of the *verbs* in parentheses.

1.   (parler, habiter)   Philippe et Jean _____ français

     parce qu'ils _____ à Québec.

2.   (téléphoner, inviter)   Nous _____ . Nous _____
     Françoise.

3.   (chanter, danser)   Je _____ bien mais je _____ mal.

4.   (skier, jouer)   En hiver, Jacques _____ et

     il _____ au hockey.

5.   (travailler, voyager)   Vous _____ en juillet et

     vous _____ en août.

6.   (dîner, regarder)   Tu _____ à 7 heures et tu _____
     la télé à 8 heures.

TEST 3   QUESTIONS

Robert is asking certain questions of different people. First read to whom he is speaking. Then complete his questions with the **tu** or **vous** form of the *verb* in parentheses, as appropriate.

1.   *to his cousin Isabelle:* Est-ce que _____ bien? (nager)

2.   *to his cousins Paul and Pierre:* Est-ce que _____ bien? (chanter)

3.   *to Mme Rémy, a neighbor:* Est-ce que _____ anglais? (parler)

4.   *to Marc Rémy, Mme Rémy's young son:* Est-ce que _____ nager? (aimer)

5.   *to the mail carrier:* Est-ce que _____ beaucoup? (travailler)

6.   *to M. Durand, his uncle:* Est-ce que _____ en été? (travailler)

TEST 4   NON!

Answer the following questions in the *negative*. Write complete sentences, using *subject pronouns*.

1. Philippe dîne?   Non, _____ .

2. Nathalie danse?   Non, _____ .

3. Jacqueline et Louise travaillent?   Non, _____ .

4. Pierre et Paul dînent?   Non, _____ .

5. Sylvie, Annie et Jacques skient?   Non, _____ .

TEST 5   SUZANNE

Suzanne is an exchange student from France. Ask her a few questions, using the elements below. In each question, address her as **tu**.

1. où / habiter   _____ ?

2. quand / rentrer en France   _____ ?

3. comment / jouer au tennis   _____ ?

4. à quelle heure / dîner   _____ ?

Vocabulaire

TEST 6   QU'EST-CE QU'ILS FONT? (*What are they doing?*)

Read where the people are, as indicated in parentheses. Then say what they are doing by completing each sentence with an **-er** *verb* which fits logically.

1.   (au restaurant)   Jacques _____ .

2.   (à la maison)   Thérèse _____ la télé.

3.   (en classe)   Marc _____ les maths.

4.   (à Mexico)   André _____ espagnol.

5.   (à New York)   Jacqueline _____ le Metropolitan Museum of Art.

6.   (à la discothèque)   Thomas _____ avec Annie.

7.   (à la maison)   Robert _____ la radio.

8.   (à la télévision: *on TV*)   Liza Minnelli _____ une chanson (*song*).

9.   (à Québec, en hiver)   Philippe _____ au hockey.

10. (à Aspen, en hiver)   Sylvie _____ .

11. (à Miami, en juillet)   Louise _____ dans l'océan Atlantique.

TEST 7   UN MAUVAIS ENREGISTREMENT (*A poor recording*)

Pierre taped a conversation he had with Philippe. Certain expressions were hard to understand. Read Philippe's answers and then fill in the *interrogative expression* (question word or words) which is missing in Pierre's questions.

Pierre: **Philippe:**

▷   *Où* _____ est-ce que tu habites?   À Paris.

1. _____ est-ce que tu dînes aujourd'hui?   Au restaurant.

2. _____ est-ce que tu dînes?   À sept heures et demie.

3. _____ est-ce que tu joues au tennis?   Avec Suzanne.

4. _____ est-ce que tu joues?   Assez (*Fairly*) bien!

5. _____ est-ce que tu téléphones?   À Paul.

6. _____ est-ce que tu rentres en France?   Avec Albert et Roger.

7. _____ est-ce que vous rentrez?   Le 3 décembre.

TEST 8   EN FRANÇAIS (*In French*)

Give the French equivalents of the following sentences.

1. *I like to travel.*

   _____

2. *Do you like to speak French?*

   _____

3. *Why do you study?*

   _____

4. *Where does Charles live?*

   _____

5. *Who is speaking?*

   _____

6. *Who likes to play tennis?*

   _____

Culture

TEST 9   **OUI OU NON?**

Read the following statements. If the information is true, circle **oui.** If it is not true, circle **non.**

oui   non   1.   Montreal, in Canada, is one of the largest French-speaking cities in the world.

oui   non   2.   The French Canadians are French citizens who live in Canada.

oui   non   3.   Martinique is a French-speaking island in the Caribbean.

oui   non   4.   The ancestors of most inhabitants of Martinique came from Africa.

oui   non   5.   French is the official language of several African countries.

oui   non   6.   Today most of western Africa is a French colony.

oui   non   7.   After Paris, Geneva and Brussels are the two largest French-speaking cities in France.

oui   non   8.   Many people in Belgium and Switzerland speak French.

oui   non   9.   France is a country of 100 million inhabitants.

oui   non   10.   French is a useful language to know because it is spoken in many parts of the world.

TESTS DE CONTRÔLE • UNITÉ 2
Structure

TEST 1   COMMENT VOYAGENT-ILS?

Indicate what type of transportation the following people have. Fill in the blanks with the appropriate forms of **avoir.**

1. Pierre et Janine _____ une moto.
2. Madame Arnault _____ une Mercédès.
3. J'_____ une bicyclette.
4. Tu _____ un vélomoteur.
5. Nous _____ une auto.
6. Vous _____ une Rolls Royce.

TEST 2   QUI EST-CE?

Sylvie is in a café watching the following people go by. Complete her questions with the appropriate forms of the *definite* article.

1. Qui est _____ garçon?
2. Comment s'appelle _____ fille?
3. Comment s'appelle _____ étudiante?
4. Qui sont _____ étudiants dans (*in*) la voiture?
5. Qui sont _____ filles dans le bus?

TEST 3   LE MEETING FRANCO-AMÉRICAIN (*The Franco-American meeting*)

The following people from France and the United States are attending a meeting to develop cultural exchange between their two countries. Give each person's profession and nationality, using the *indefinite* article and the appropriate form of the adjectives **américain** and **français.** (Note: Look at the name of the city to see which country each person is from.)

▷ (étudiant / Paris)   Henri est *un étudiant français* .

1. (étudiante / Boston)   Jacqueline est _____ .
2. (professeur / Annecy)   Monsieur Barthe est _____ .
3. (étudiants / New York)   Sylvia et Linda sont _____ .
4. (artistes / Bordeaux)   Pierre et Paul sont _____ .
5. (journalistes / Dallas)   Ann Smith et Rita Davis sont _____ .
6. (photographes / Nice)   Luc Brault et Yves Martin sont _____ .

TEST 4 LEURS POSSESSIONS (*Their belongings*)

Tell what these people's belongings are like by completing each sentence with the noun in parentheses and the appropriate form of the underlined adjective. (Be sure to put the adjective in its proper position.)

▷ Jacqueline est <u>intéressante</u>. (des livres)

Elle a *des livres intéressants* .

1. Louis est <u>espagnol</u>. (une guitare)

Il a _____.

2. Bob et Jim sont <u>anglais</u>. (un téléviseur)

Ils ont _____.

3. Linda est <u>anglaise</u>. (des disques)

Elle écoute _____.

4. Thomas est <u>grand</u>. (une auto)

Il a _____.

5. Philippe est <u>petit</u>. (un vélo)

Il a _____.

6. Sylvie est <u>jolie</u>. (un sac)

Elle a _____.

TEST 5 ANTOINETTE

Complete Antoinette's portrait, using **Elle est** or **C'est,** as appropriate.

1. _____ blonde.   4. _____ canadienne.

2. _____ une fille intelligente.   5. _____ une amie.

3. _____ sympathique.   6. _____ la petite amie de Paul.

TEST 6 ÉQUATIONS

Write out the *stress pronouns* needed to balance the following "equations."

▷ Robert = *lui* _____   ▷ Pierre et *moi* _____ = **nous**

1. Philippe = _____   4. Sophie et Suzanne = _____

2. Catherine = _____   5. Paul et toi = _____

3. Pierre et Henri = _____   6. Michèle et moi = _____

TEST 7   TOURISME

Say which countries the following people are visiting. Complete the sentences below with the
appropriate forms of the *definite article*.

1. Monsieur et Madame Smith visitent _____ France et _____ Italie.
2. Je visite _____ Canada et _____ États-Unis.
3. Paul et Henri visitent _____ Japon et _____ Chine.
4. Nous visitons _____ Espagne et _____ Portugal.

TEST 8   EN FRANÇAIS

Give the French equivalents of the following sentences.

1. *I do not have a car.*   _____
2. *Charles does not have any records.*   _____
3. *There is a guitar here.*   _____
4. *There are books over there.*   _____
5. *It's true! It is not difficult!*   _____

Vocabulaire

TEST 9   LES OBJETS PERDUS (*Lost and found*)

Imagine that you are working in the lost and found office at the Paris airport. Name the various
objects which have been brought in today. Be sure to use the appropriate articles.

⇨ *une radio*   1. _____   2. _____

3. _____   4. _____   5. _____

6. _____   7. _____   8. _____

9. _____   10. _____

TEST 10   LE CONTRAIRE! (*The opposite!*)

Write the adjectives that are opposite in meaning to those given below.

1. grand _____   4. mauvais _____

2. blond _____   5. pénible _____

3. intelligent _____   6. noir _____

TEST 11   GÉOGRAPHIE

Read the names of the following cities. Then write the name of the country where the city is located and the adjective of nationality that corresponds to that country.

	pays:	**nationalité:**
▷ **Paris**	*France*	*français*
1. Québec	_____	_____
2. Munich	_____	_____
3. Londres (*London*)	_____	_____
4. Chicago	_____	_____

Culture

TEST 12   VRAI OU FAUX?

Read the following statements. If the information is true, circle **vrai.** If the information is false, circle **faux.**

vrai faux   1.   Michel and Michèle are two ways of writing the same name.

vrai faux   2.   In French one may find words of English origin.

vrai faux   3.   When French teenagers want to surprise a friend on his or her birthday, they organize a **surprise-partie.**

vrai faux   4.   Most French teenagers have cars which are fairly small.

vrai faux   5.   A **petit ami** is a friend who is very young.

vrai faux   6.   French teenagers use the word **camarades** to refer to their classmates.

vrai faux   7.   Guadeloupe is the name of a French island in the Caribbean.

vrai faux   8.   In some parts of the French-speaking world, people wear costumes to celebrate Mardi Gras.

vrai faux   9.   In France many young people go to **La Maison des Jeunes** when they have free time.

vrai faux   10. The game of Monopoly is forbidden in France.

TESTS DE CONTRÔLE • UNITÉ 3

Structure

TEST 1   LES VACANCES

Everyone is leaving for vacation. Say where these people are going by filling in the blanks with the appropriate forms of **aller.**

1. Charles _____ à Québec.

2. Je _____ en France.

3. Mes parents _____ à New York.

4. Est-ce que tu _____ en Italie?

5. Mon oncle _____ à Genève.

6. Suzanne et sa cousine _____ à Montréal.

7. Vous _____ à Annecy.

8. Nous _____ à Paris.

TEST 2   RENCONTRES (*Meeting*)

The people in the sentences on the left are going to the places mentioned in parentheses. The people in the sentences on the right are coming back from these same places. Fill in the first blank with the appropriate form of **à** + definite article, and the second blank with the appropriate form of **de** + definite article.

1. (le café)   Paul va _____ café.   Jacqueline arrive _____ café.

2. (la plage)   Louise va _____ plage.   Sylvie arrive _____ plage.

3. (l'école)   Élise va _____ école.   Charles arrive _____ école.

4. (les Bahamas) Thomas va _____ Bahamas.   Irène arrive _____ Bahamas.

5. (le parc)   René va _____ parc.   Albert arrive _____ parc.

TEST 3   WEEK-END

This weekend the following people are either going home or staying home. Express this using **chez** and the appropriate stress pronoun.

1. Je reste _____ .

2. Jacques est _____ .

3. Mes cousins vont _____ .

4. Albert et Roger dînent _____ .

5. Sylvie regarde la télé _____ .

6. Mes amies jouent au ping-pong _____ .

TEST 4 VIVE LA FAMILLE!

The following people are doing certain things with, for, or at the home of other members of their family. Express this by completing the sentences with the appropriate *possessive* adjectives.

▷ **Je travaille pour** _mon_ **oncle.**

1. Paul invite _____ cousine Annie et _____ frères.

2. Sylvie va au théâtre avec _____ cousins et _____ frère.

3. Paul et François jouent au tennis avec _____ sœur Antoinette.

4. Thomas va chez _____ oncle.

5. Nous jouons au ping-pong avec _____ cousins et _____ cousines.

6. Tu vas au concert avec _____ père et _____ mère.

7. J'invite _____ sœur au restaurant.

8. Vous voyagez avec _____ tante et _____ oncle.

9. Monsieur Mercier va à Paris avec _____ fille.

10. Madame Dumas va à Québec avec _____ deux enfants.

11. Mon meilleur ami invite _____ cousine au restaurant.

12. Mes amis vont en France avec _____ cousins.

TEST 5 GEORGES ET ANNETTE

Learn more about Georges and Annette by filling in the blanks with **est, a,** or **va,** as appropriate.

1. Georges _____ français. Il _____ 18 ans. Il _____ souvent à la plage avec Annette. Aujourd'hui il _____ nager avec elle.

2. Annette _____ 17 ans. Elle _____ grande at athlétique.
   Elle _____ un vélo. Demain elle _____ aller à la piscine.
   Elle _____ souvent là-bas.

TEST 6 EN FRANÇAIS

Give the French equivalents of the following sentences.

1. *I am going to swim.* _____

2. *When are you going to study?* _____

3. *I play tennis, but I do not play ping-pong.* _____
_____

4. *Hélène plays the piano.* _____

5. *How old are you, Pierre?* _____

6. *I am 16 and my brother is 17.* _____

7. *The guitar belongs to François.* _____

8. *The racket does not belong to you. It belongs to me.* _____
_____

Vocabulaire

TEST 7 OÙ

Say where one would go to do the following things. Write the letter of the appropriate place next to each activity.

▷ ___*C*___ dîner   A. la piscine

1. _____ jouer au foot   B. le cinéma

2. _____ visiter un ami malade   C. le restaurant

3. _____ emprunter un livre   D. le musée

4. _____ regarder un western en ville   E. l'hôpital

5. _____ pique-niquer (*to have a picnic*)   F. la campagne

6. _____ nager   G. le stade

7. _____ regarder la télé   H. la bibliothèque

8. _____ regarder les statues   I. la maison

TEST 8   RELATIONS FAMILIALES (*Family relationships*)

Write out the words which correspond to the following definitions.

▷   **le frère de mon père = mon**   *oncle*

1.   la sœur de mon père = ma   _____
2.   le père de ma mère = mon   _____
3.   le frère de ma cousine = mon   _____
4.   la fille de mon oncle = ma   _____
5.   les parents de ma mère = mes   _____

TEST 9   CATÉGORIES

Give two examples for each of the following categories.

▷   **2 sports:**   *le football, le basketball*

1.   *2 places where one can swim:*   _____
2.   *2 places where one generally studies:*   _____
3.   *2 instruments with strings:*   _____
4.   *2 games:*   _____
5.   *2 four-legged animals:*   _____
6.   *2 other animals:*   _____

Culture

TEST 10   VRAI OU FAUX?

Read the following statements. If the information is true, circle **vrai.** If the information is false, circle **faux.**

vrai	faux	1.	The Eiffel Tower is the French monument which attracts the most visitors.
vrai	faux	2.	In many ways French teenagers imitate American teenagers.
vrai	faux	3.	Many sports have the same names in French and English.
vrai	faux	4.	The French have borrowed the words **boutique** and **restaurant** from English.
vrai	faux	5.	Photography was invented by an American scientist named Eastman.
vrai	faux	6.	Skiing is a popular sport in France.
vrai	faux	7.	Most French teenagers do not work during the summer.
vrai	faux	8.	France issues many beautiful commemorative stamps.

TESTS DE CONTRÔLE • UNITÉ 4
Structure

TEST 1   AU MARCHÉ AUX PUCES (*At the flea market*)

The flea market is a good place to buy and sell things. Say what the following people are doing by completing the sentences with the appropriate forms of the verbs in parentheses.

1. (acheter) J'_____ une guitare. François _____ une raquette.

    Nous _____ beaucoup de choses (*things*). Qu'est-ce que vous _____ ?

2. (choisir) Nous _____ ces vêtements. Jacqueline _____ un tee-shirt.

    Je _____ une veste. Et vous, qu'est-ce que vous _____ ?

3. (vendre) Henri _____ son électrophone. Mes cousins _____ leurs disques.

    Je _____ ma bicyclette. Et toi, Thomas, qu'est-ce que tu _____ ?

TEST 2   AU GRAND MAGASIN (*At the department store*)

Complete each pair of sentences by filling in the *first* blank with the appropriate form of the interrogative adjective **quel** and the *second* blank with that of the demonstrative adjective **ce**. (Note: You can tell the gender of the nouns by looking at the form of the adjectives in italics.)

1. —Eh Richard, _____ disques est-ce que tu écoutes?

    —J'écoute _____ disques *américains*.

2. —Margot, _____ robe est-ce que tu vas acheter?

    —Je vais acheter _____ robe *bleue*.

3. —Philippe, _____ anorak est-ce que tu préfères?

    —Je préfère _____ anorak *vert*. Et toi?

4. —_____ guitares est-ce que tu regardes?

    —Je regarde _____ guitares *espagnoles*.

5. —Henri, _____ gâteau est-ce que tu vas acheter?

    —Je vais acheter _____ *gros* gâteau-ci!

TEST 3   JACQUES, HENRI ET LUCIE

Jacques likes new things, Henri likes old things, and Lucie likes beautiful things. Express this by completing the sentences with the appropriate forms of the adjectives in parentheses.

1. (nouveau) Jacques habite dans un _____ appartement. Il a une

    _____ voiture. Il porte toujours des _____ vêtements très

    élégants. Cet après-midi, il va acheter des _____ chaussures italiennes.

2. (vieux) Henri a beaucoup de _____ disques. Il écoute ses disques sur

un _____ électrophone. Henri a un _____ vélo et une _____ moto.

3. (beau) Aujourd'hui, Lucie porte un _____ anorak, une _____ robe

et des _____ chaussures noires. Lucie achète toujours des _____ vêtements.

TEST 4   COMPARAISONS

Paul, Suzanne, Marc, and Hélène are friends. Compare them by using complete sentences and the suggested adjectives. Remember that **grand** means *tall*, **gros** means *fat*, and **mince** means *slim*.

    Paul   **Suzanne**   **Marc**   **Hélène**

1. Paul / grand / Suzanne   _____

2. Marc / grand / Hélène   _____

3. Suzanne / grande / Hélène   _____

4. Paul / gros / Marc   _____

5. Hélène / mince / Suzanne   _____

TEST 5   LOGIQUE

Complete the following sentences with the appropriate expressions with **avoir.**

1. Jacques va au restaurant parce qu'il _____ .

2. Suzanne porte un pull parce qu'elle _____ .

3. Philippe ôte (*takes off*) son pull parce qu'il _____ .

4. François achète un Coca-Cola parce qu'il _____ .

5. Albert téléphone à Pierre parce qu'il _____ de parler avec lui.

6. Anne-Marie va à la pâtisserie parce qu'elle _____ d'acheter un gâteau.

TEST 6   QU'EST-CE QU'ON FAIT? (*What does one do?*)

Write what is usually done at the places mentioned below. Use one of the following verbs:
étudier / jouer / nager / acheter / parler / dîner.

▷ **En France,** *on parle* français.

1. À la piscine, _____ .

2. Au stade, _____ au football.

3. À l'école, _____ .

4. Au restaurant, _____ .

5. À la pâtisserie, _____ des gâteaux.

TEST 7 DANS QUEL PAYS?

Reword the following sentences. Replace the name of the city with the name of the country in parentheses. Make all necessary changes.

▷ **Jacques habite à Paris. (France)** *Jacques habite en France.*

1. Albert va à Québec. (Canada) _____
2. J'ai un oncle à New York. (États-Unis) _____
3. On parle français à Genève. (Suisse) _____
4. Je vais aller à Santiago. (Chili) _____

TEST 8 EN FRANÇAIS

Give the French equivalents of the following sentences.

1. *What are you buying?* _____
2. *What are you looking at?* _____
3. *How many records do you have?* _____
4. *How much money do you have?* _____

Vocabulaire

TEST 9 LE VERBE EXACT (*The right verb*)

Read the sentences below. Then fill in the blanks with the **il** form of the verb in the box which best fits the sentence.

1. Combien _____ ce disque?
2. Jacques _____ toujours à ses examens parce qu'il étudie beaucoup.
3. Suzanne ne grossit pas. Elle _____ .
4. La classe _____ à 11 heures.
5. Henri _____ sa bicyclette parce qu'il a besoin d'argent.
6. Louise _____ le bus. À quelle heure est-ce qu'il va passer (*to go by*)?
7. Thomas est dans un magasin de vêtements. Il regarde les pulls. Finalement (*Finally*), il _____ un pull rouge.
8. Nathalie _____ le téléphone. Qui téléphone à cette heure-ci — Paul ou Marc?

choisir
finir
maigrir
réussir
vendre
attendre
entendre
coûter

TEST 10   LA FAMILLE ALLARD

Describe what the members of the Allard family are wearing. Complete the sentences with the names of the items of clothing indicated by the numbers on the drawings below.

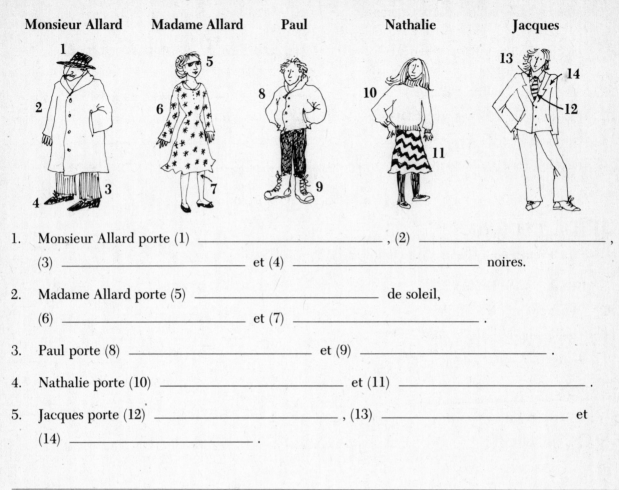

| Monsieur Allard | Madame Allard | Paul | Nathalie | Jacques |

1. Monsieur Allard porte (1) _____ , (2) _____ ,

    (3) _____ et (4) _____ noires.

2. Madame Allard porte (5) _____ de soleil,

    (6) _____ et (7) _____ .

3. Paul porte (8) _____ et (9) _____ .

4. Nathalie porte (10) _____ et (11) _____ .

5. Jacques porte (12) _____ , (13) _____ et

    (14) _____ .

Culture

TEST 11   VRAI OU FAUX?

Read the following statements. If the information is true, circle **vrai.** If it is false, circle **faux.**

vrai	faux	1.	In France a **grand magasin** is the equivalent of a department store.
vrai	faux	2.	Pierre Cardin is a French fashion designer.
vrai	faux	3.	French teenagers tend to be more conservative in their dress than American teenagers.
vrai	faux	4.	French parents give large allowances to their daughters so that they can choose their own clothes.
vrai	faux	5.	In English many names of foods are of French origin.
vrai	faux	6.	A French **pharmacie** sells all the same items as an American drugstore.
vrai	faux	7.	Instead of going to the supermarket, many French people buy their food in specialized shops.
vrai	faux	8.	Supermarkets do not exist in France.

TESTS DE CONTRÔLE • UNITÉ 5

Structure

TEST 1 OPINIONS PERSONNELLES

Express your opinions about American people and things using the nouns and adjectives in parentheses. (To tell whether a noun is *masculine* or *feminine*, *singular* or *plural*, look at the form of the adjective.)

▷ (football / violent?)   *Le football américain est violent.*
(Le football américain n'est pas violent.)

1. (cinéma / intéressant?) _____
2. (comédies / amusantes?) _____
3. (acteurs / excellents?) _____
4. (musique / bonne?) _____
5. (filles / intelligentes?) _____
6. (télévision / intéressante?) _____

TEST 2 AU RESTAURANT

The following people are at a restaurant. Read what they like and do not like, and complete each sentence accordingly. Use the appropriate partitive article and the noun in italics.

1. Jacques aime la *glace*. Il commande _____ .
2. Sylvie aime beaucoup le *poulet*. Elle mange _____ .
3. Roland déteste le *poisson*. Il ne commande pas _____ .
4. Thérèse déteste la *soupe*. Elle ne mange pas _____ .
5. Nathalie aime l'*orangeade*. Elle boit _____ .
6. Antoine aime le *thé*. Il boit _____ .
7. Henri déteste l'*eau minérale*. Il ne boit pas _____ .
8. Laure aime la *salade*. Elle commande _____ .

TEST 3 AU CHOIX (*Choose one*)

Fill in each blank with the article in parentheses that best completes the sentence.

1. (la, une, de la) Je déteste _____ limonade.

2. (le, un, du) Est-ce que tu vas manger de la salade ou _____ fromage?

3. (le, une, de la) Pour le dessert, je vais manger _____ banane.

4. (le, un, du) Je prends toujours _____ lait avec mon café.

5. (Le, Un, Du) _____ gâteau de ma mère est excellent.

6. (le, un, du) Si tu vas chez le marchand, achète _____ ou deux fromages.

7. (la, une, de la) Est-ce que tu prends _____ margarine avec ton pain?

8. (Le, Un, Du) _____ lait n'est pas là. Il est dans le réfrigérateur.

TEST 4   À LA SURPRISE-PARTIE

Complete the following sentences with the appropriate forms of the verbs in parentheses.

1. (préférer) Je _____ la musique disco. Paul _____ le jazz.
   Nous _____ ce disque. Et toi, quelle sorte de musique est-ce que
   tu _____?

2. (boire) Jacques _____ du coca. Ses amis _____ du jus
   d'orange. Nous _____ de l'eau minérale. Et vous, qu'est-ce que
   vous _____?

3. (prendre) Nous _____ des sandwichs. Je _____ un sandwich au
   fromage. Philippe et Suzanne _____ une pizza. Et vous, qu'est-ce que
   vous _____?

TEST 5   WEEK-END

This weekend everyone is doing what he or she likes to do. Express this by completing the sentences with the appropriate forms of **faire de** and the nouns in italics.

1. Nous aimons la *photo*. Nous _____.
2. Vous aimez la *danse*. Vous _____.
3. Mes cousins aiment le *ski*. Ils _____.
4. J'aime le *théâtre*. Je _____.
5. Catherine aime la *gymnastique*. Elle _____.
6. Tu aimes le *vélo*. Tu _____.

TEST 6   INVITATIONS

Pierre has invited a few friends to his house. Say with whom and at what time each one is arriving. Complete the sentences with the appropriate forms of **venir**.

1. Je _____ avec mon frère. Nous _____ à sept heures.
2. Philippe _____ avec Henri. Ils _____ après (*after*) le dîner.
3. Tu _____ avec une amie. Vous _____ à sept heures et demie.

TEST 7   **CONSEILS** (*Advice*)

Robert is giving advice to his brother Charles and to his sisters Anne and Lucie. Write what he says. Complete the sentences with the appropriate affirmative or negative *imperative* forms of the suggested verbs.

		à Charles:	**à Anne et à Lucie:**
1.	(choisir)	Oui, _____ ce pull!	Oui, _____ ce blue-jeans!
2.	(regarder)	Oui, _____ ce programme!	Non, _____ ce film!
3.	(vendre)	Non, _____ ton vélo!	Oui, _____ vos disques!
4.	(aller)	Non, _____ au théâtre!	Oui, _____ au cinéma!
5.	(boire)	Oui, _____ de la limonade!	Non, _____ de café!
6.	(faire)	Oui, _____ les courses!	Oui, _____ attention!

TEST 8   **EN FRANÇAIS**

Give the French equivalents of the following sentences.

1. *I don't like theater.* _____
2. *Do you like French movies?* _____
3. *On Saturdays I don't study.* _____
4. *On Mondays I go to the movies.* _____
5. *Let's go to the beach.* _____
6. *Let's play volleyball.* _____
7. *I have just invited Françoise.* _____

Vocabulaire

TEST 9   **LE MENU**

Imagine that you are preparing a French menu. Write the names of the following dishes and beverages. Use the appropriate definite articles.

1. _____ 2. _____ 3. _____ 4. _____

5. _____ 6. _____ 7. _____ 8. _____

TEST 10   LE MOT EXACT (*The right word*)

Of the two words in parentheses, only one logically fits the sentence. Write the correct word in the blank.

1.   François aime le théâtre. Ce soir, il va regarder _____ . (une pièce, un film)

2.   Mon frère beaucoup les _____ de Walt Disney. (films policiers, dessins animés)

3.   Pauline _____ de la limonade. (mange, boit)

4.   Qu'est-ce que tu vas _____ ? Du thé ou du café? (commander, espérer)

5.   Pascal aime _____ . Il nage souvent. (le patinage, la natation)

6.   Isabelle a du talent. Elle fait des _____ magnifiques. (voiles, dessins)

7.   Mon cousin _____ l'espagnol. (vient, apprend)

8.   Est-ce que vous _____ le français? (comprenez, prenez)

9.   Est-ce que tu fais _____ pour les vacances? (des progrès, des projets)

10. Est-ce que tes parents _____ un voyage au Canada? (vont, font)

11. Nous _____ une promenade en voiture. (allons, faisons)

12. Je _____ à pied à l'école. (vais, fais)

13. Si le métro ne marche pas, prenez _____ . (le bus, l'avion)

Culture

TEST 11   VRAI OU FAUX?

Read the following statements. If the information is true, circle **vrai.** If the information is false, circle **faux.**

vrai   faux   1.   Les jeunes Français aiment aller au cinéma.

vrai   faux   2.   Les films américains ne sont pas très populaires en France.

vrai   faux   3.   Dans une école française, les **externes** restent à l'école pour le déjeuner (*lunch*).

vrai   faux   4.   On ne fait pas de sport dans les écoles françaises.

vrai   faux   5.   La majorité des élèves français vont à pied à leur école.

vrai   faux   6.   En France tous (*all*) les élèves apprennent une langue étrangère (*foreign language*).

vrai   faux   7.   L'espagnol est la langue la plus populaire en France.

vrai   faux   8.   La Normandie est une province canadienne.

vrai   faux   9.   En été, beaucoup de jeunes Français vont à la plage.

TESTS DE CONTRÔLE • UNITÉ 6

Structure

TEST 1 WEEK-END

Say what the following people are doing this weekend. Fill in the blanks with the appropriate present tense forms of the verbs in parentheses.

1. (voir)   Henri _____ ses amis. Nous _____ un western.

    Marc et Annie _____ leurs cousines. Je _____

    Jacqueline. Et vous, qui est-ce que vous _____ ?

2. (mettre) Je _____ la radio. Mes cousins _____ leurs disques

    préférés (*favorite*). Nous _____ de la musique disco. Et toi, qu'est-ce

    que tu _____ ?

3. (sortir) Suzanne _____ avec son petit ami. Mes frères _____ avec

    leurs amis. Je ne _____ pas. Et vous, est-ce que vous _____ ?

TEST 2 À LA SURPRISE-PARTIE

Everyone danced at the party last night. Say who danced with whom by completing the sentences below with the **passé composé** of **danser**.

1. Pierre _____ avec Hélène.
2. Nicole _____ avec Roger.
3. J'_____ avec Marie.
4. Tu _____ avec Georges.

5. Nous _____ avec Sylvie.
6. Vous _____ avec Mathilde.
7. Gilbert et Jean _____ avec Alice.
8. Lise et Rose _____ avec Robert.

TEST 3 VACANCES

The following people did the first thing mentioned in parentheses, but not the second. Express this by using the appropriate **passé composé** forms of these verbs in *affirmative* and *negative* sentences.

1. (voyager / travailler) Oui, Jacques _____ .

    Non, il _____ .

2. (travailler / acheter) Oui, mes cousins _____ .

    Non, ils _____ de voiture.

3. (maigrir / grossir) Oui, Isabelle _____ .

    Non, elle _____ .

4. (vendre / choisir) Oui, mon frère _____ son vélo.

   Non, il _____ un nouveau vélo.

5. (inviter / attendre) Oui, nous _____ Henri.

   Non, nous _____ ses amis.

6. (voyager / perdre) Oui, j'_____ .

   Non, je _____ mon temps.

TEST 4   HIER

Say that yesterday the following people did what they like to do. Use the appropriate **passé composé** form of the verb in italics. (Be careful! All these verbs have irregular past participles.)

1. Jacques aime *faire* des promenades.

   Hier, il _____ une promenade à pied.

2. Christine aime *avoir* des rendez-vous.

   Hier, elle _____ un rendez-vous avec Pierre.

3. Mon père aime *boire* de la bière.

   Hier, il _____ de la bière avec ses amis.

4. J'aime *voir* des bons films.

   Hier, j'_____ un film policier.

5. Albert aime *prendre* des photos.

   Hier, il _____ une photo de son chien.

6. Caroline aime *mettre* du jazz.

   Hier, elle _____ un disque de Louis Armstrong.

TEST 5   VOYAGES

Say where the following people went last summer by completing the sentences with the appropriate forms of the **passé composé** of **aller.**

1. Sophie _____ au Mexique.

2. Sylvie et Michèle _____ au Canada.

3. Pierre _____ chez son oncle.

4. Paul et Antoine _____ chez des amis.

5. Moi, Catherine, je _____ à Paris.

6. Moi, Charles, je _____ à Athènes.

7. Henri et moi, nous _____ au Japon.

8. Et toi, Irène, où est-ce que tu _____ ?

TEST 6   LE VOYAGE DE PHILIPPE

Philippe, a Canadian student, went to France last year. Describe his trip by completing the following sentences with **Il a** or **Il est** as appropriate.

1. _____ arrivé à Paris le 15 juin.
2. _____ téléphoné à ses cousins.
3. _____ resté une semaine chez eux.
4. _____ visité le Centre Pompidou.
5. _____ allé en Provence.
6. _____ fait une promenade en bateau.
7. _____ nagé.
8. _____ sorti avec une Française.
9. _____ rentré au Canada le 2 août.
10. _____ fait un beau voyage.

TEST 7   EN FRANÇAIS

Give the French equivalents of the following sentences.

1. *I have blue eyes.* _____
2. *Paul has a headache.* _____
3. *Did you call the doctor?* _____
4. *Have you spoken to Marc?* _____

Vocabulaire

TEST 8   L'APPARTEMENT DES BOUVIER

The Bouviers have rented a small apartment in Paris. Write the names of the rooms and the pieces of furniture shown in the sketch below.

Les pièces:

1. la c_____
2. la s_____ à m_____
3. la s_____ de b_____
4. la c_____
5. le s_____

Les meubles:

6. une _____
7. une _____
8. un _____
9. un _____
10. un _____

TEST 9 ANATOMIE

Read the following sentences and complete them with the appropriate parts of the body.

1. Thérèse va chez le dentiste parce qu'elle a mal aux d_____ .

2. Pierre a les y_____ bleus et les c_____ bruns.

3. J'entends mal. J'ai mal aux o_____ .

4. Henri a fait une longue promenade ce matin. Maintenant il a mal aux p_____ et
   aux j_____ .

5. Éliane a mangé un kilo de chocolats. Maintenant elle a une indigestion. Elle a mal au
   v_____ .

6. Qu'est-ce que Nathalie a dans la b_____ ? Des bonbons ou du chewing-gum?

7. François a la grippe. Il a mal à la g_____ et à la t_____ .

8. Quand on joue au volley, on utilise (uses) les m_____ .

Culture

TEST 10 VRAI OU FAUX?

Read the following statements. If the information is true, circle **vrai**. If the information is false, circle **faux**.

vrai faux 1. En France, les médecins visitent assez souvent les malades.

vrai faux 2. Il n'y a pas de médecins spécialistes en France.

vrai faux 3. Les jeunes Français utilisent (use) très souvent le téléphone.

vrai faux 4. En France, le téléphone coûte cher.

vrai faux 5. Le tennis est un sport populaire en France.

vrai faux 6. Aujourd'hui les meilleurs joueurs de tennis du monde (in the world) sont français.

vrai faux 7. Le football est un sport très populaire dans les pays où on parle français.

vrai faux 8. Généralement, les parents français sont plus sévères avec leurs enfants que les
              parents américains.

TESTS DE CONTRÔLE • UNITÉ 7
Structure

TEST 1   LES AMIS

Fill in the blanks with the appropriate present tense forms of the verbs in parentheses.

1. (connaître) Nous _____ Stéphanie. Je _____
    bien son frère. Marc _____ ses parents. Et vous, est-ce que vous
    _____ les amis de Stéphanie?

2. (savoir) Est-ce que vous _____ où habite Jacques? Nous, nous
    ne _____ pas, mais je _____ où habite son
    frère et ses cousins _____ où il travaille.

3. (écrire) Nous _____ à François. J'_____ aussi à Jacqueline.
    Mes cousins _____ à Paul. À qui est-ce que vous _____ ?

4. (lire) Philippe _____ une lettre de sa petite amie. Charles et
    Denis _____ une lettre d'Annie. Nous _____
    une lettre de nos amis français. Et vous, qu'est-ce que vous _____ ?

5. (dire) Je _____ toujours la vérité mais mon cousin _____
    souvent des mensonges. Et vous, est-ce que vous _____ toujours la vérité?

TEST 2   ZUT ALORS!

Complete the following sentences with the appropriate *negative* forms of the **passé composé** of the
verbs in parentheses.

1. (lire)   Paul _____ la leçon.

    Philippe et Henri _____ le poème.

2. (dire)   Jacqueline _____ la vérité.

    Je _____ de choses intelligentes à mes amis.

3. (écrire)   François _____ à son cousin pour son anniversaire.

    Nous _____ à nos grands-parents pour Noël.

4. (savoir)   Je _____ la réponse (*answer*) à la question.

    Tu _____ répondre au professeur.

5. (connaître) Henri _____ de fille sympathique pendant les vacances.

    Je _____ de personnes intéressantes quand je suis allé en France.

TEST 3   LES QUESTIONS DE JACQUES

There are many things that Jacques wants to ask his cousin Louise. Complete his questions with **tu connais** or **tu sais**, as appropriate.

1.   Est-ce que _____ mon amie Catherine?

2.   Est-ce que _____ qu'elle est interprète?

3.   Est-ce que _____ où elle habite?

4.   Est-ce que _____ ses parents?

5.   Est-ce que _____ un bon restaurant?

6.   Est-ce que _____ comment on va là-bas?

7.   Est-ce que _____ où il y a un bon film?

8.   Est-ce que _____ danser?

TEST 4   NON!

Paul is in a bad mood and is answering **non** to all of Christine's questions. Complete his answers using the appropriate *negative expressions*.

Christine: **Paul:**

1.   Tu fais quelque chose?   Non, je _____ .

2.   Tu invites quelqu'un?   Non, je _____ .

3.   Tu regardes quelque chose?   Non, je _____ .

4.   Tu parles à quelqu'un?   Non, je _____ .

5.   Tu parles de quelque chose?   Non, je _____ .

6.   Tu connais quelqu'un ici?   Non, je _____ .

TEST 5   DIALOGUES

Complete the following dialogs with the appropriate *pronouns*.

1.   Henri: Je n'ai pas de vélo. Est-ce que tu _____ prêtes ton vélo?

     Paul: Bien sûr! Je _____ prête mon vélo.

2.   Annette: Est-ce que tu _____ invites à ta surprise-partie?

     Suzanne: Oui, je _____ invite!

3.   Marc: Est-ce que tes parents _____ donnent de l'argent?

     Alain: Non, ils ne _____ donnent pas souvent d'argent.

4.   Nicolas et Philippe: Dis, Pierre, est-ce que tu _____ invites au pique-nique?

     Pierre: Oui, je _____ invite tous les deux (*both*).

TEST 6   PRÊTS (*Loans*)

Pierre is willing to lend his sports equipment but not anything connected with his favorite hobby—music. Say whether or not he lends the following items. Use *direct object pronouns* and the **il** form of **prêter**.

1. sa raquette?   Oui, il _____ .

2. sa guitare?   Non, il _____ .

3. son vélo?   Oui, il _____ .

4. ses skis?   Oui, il _____ .

5. ses disques?   Non, il _____ .

6. son électrophone?   Non, il _____ .

TEST 7   JACQUELINE

Jacqueline speaks to some people and not to others. Express this in *affirmative* or *negative* sentences using the **elle** form of **parler** and the appropriate *indirect object pronouns*.

1. Charles?   Oui, elle _____ .

2. Suzanne?   Oui, elle _____ .

3. Pierre et Paul?   Oui, elle _____ .

4. ses cousines?   Oui, elle _____ .

5. les sœurs de Jacques? Non, elle _____ .

6. l'ami de Jacques?   Non, elle _____ .

TEST 8   L'AMIE IDÉALE

Christine is the ideal friend. Tell what she does for the people mentioned in parentheses by completing the sentences with the appropriate *direct* or *indirect* object pronouns.

1. (Henri?)   Elle _____ invite souvent.

2. (Jacqueline?)   Elle _____ téléphone le week-end.

3. (Paul?)   Elle _____ prête ses cassettes.

4. (Suzanne?)   Elle _____ aide.

5. (le frère de Claire?) Elle _____ aide aussi.

6. (ses cousins?)   Elle _____ écrit.

7. (l'amie d'Antoine?)   Elle _____ rend visite.

8. (Albert?)   Elle _____ donne ses vieux magazines.

9. (ses amies?)   Elle _____ écoute toujours quand elles parlent.

10. (ses cousines?)   Elle _____ rend visite pendant les vacances.

11. (Isabelle?)   Elle _____ a téléphoné hier.

12. (François?)   Elle _____ a aidé avec le problème de maths.

TEST 9 EN FRANÇAIS

Give the French equivalents of the following sentences.

1. *My cousin Pierre is a journalist.* _____

2. *Madame Dumas is a professor.* _____

3. *I never study.* _____

4. *Are you inviting someone?* _____

5. *Are you doing something now?* _____

6. *Invite me to the restaurant.* _____

7. *Invite her too!* _____

Vocabulaire

TEST 10 LE MOT EXACT (*The right word*)

Fill in the blank with the word in parentheses which logically fits.

1. Ma cousine est _____ dans un restaurant. (avocate, serveuse)

2. Mon frère est _____ dans un grand magasin. (garçon, vendeur)

3. Pierre est très généreux. Il _____ toujours ses amis. (présente, aide)

4. Est-ce que tu peux me _____ 10 francs? (prêter, présenter)

5. Henri _____ ses disques mais il ne les trouve pas. (cherche, donne)

6. Suzanne nous _____ ses photos. (montre, discute)

7. Thérèse va _____ son frère. (visiter, rendre visite à)

8. Est-ce que tu as lu _____ ? (le journal, la journée)

9. Est-ce que vous dites _____ ? (la revue, la vérité)

Culture

TEST 11 VRAI OU FAUX?

Read the following statements. If the information is true, circle **vrai.** If it is false, circle **faux.**

vrai faux 1. Les jeunes Français ont beaucoup d'argent de poche parce qu'ils travaillent pendant l'été.

vrai faux 2. En France, les filles ont généralement moins d'argent de poche que les garçons.

vrai faux 3. En France, la bonne éducation consiste à savoir beaucoup de choses.

vrai faux 4. On enseigne (*teaches*) la bonne éducation à l'école.

vrai faux 5. En France, si vous ne connaissez pas quelqu'un, vous attendez d'être présenté avant de (*before*) parler à cette personne.

vrai faux 6. **Enchanté** signifie (*means*) *glad to meet you.*

TESTS DE CONTRÔLE • UNITÉ 8
Structure

TEST 1   À PARIS

Jean-Michel and his friends are in Paris for one day only. They are talking about what they can do.
Complete the following sentences with the appropriate present tense forms of **pouvoir.**

1. Nous _____ aller à l'Opéra.

2. Vous _____ visiter un musée.

3. Tu _____ prendre des photos.

4. Je _____ aller à la tour Eiffel.

5. Daniel _____ aller dans un café.

6. Henri et Jacques _____ aller au Louvre.

7. Monique _____ regarder les magasins.

8. Sophie et Nathalie _____ acheter des souvenirs.

TEST 2   TOURISME

If someone wants to see the monuments mentioned below, he or she must go to the cities where they
are located. Complete the following sentences with the appropriate present tense forms of **vouloir**
(first blank) and **devoir** (second blank). (Note: **si** means *if*)

1. Si vous _____ visiter Notre-Dame, vous _____ aller à Paris.

2. Si nous _____ visiter le Kremlin, nous _____ aller à Moscou.

3. Si vos amis _____ visiter le World Trade Center, ils _____ aller
    à New York.

4. Si ton frère _____ visiter l'Astrodome, il _____ aller à Houston.

5. Si tu _____ visiter Bunker Hill, tu _____ aller à Boston.

6. Si je _____ visiter le Colisée, je _____ aller à Rome.

TEST 3   LA PERSONNALITÉ ET L'EXPRESSION

A person's way of acting often reflects his or her personality. Complete the sentences below with
adverbs in **-ment** corresponding to the traits and characteristics mentioned.

1. Jacques est stupide. Il travaille _____ .

2. André est idiot. Il joue _____ .

3. Michèle est originale. Elle répond _____ .

4. Marc est calme. Il travaille _____ .

5. Pierre est énergique. Il travaille _____ .

TEST 4 OÙ?

A French exchange student is asking you where his friends are and where they are going. Answer his questions *affirmatively* or *negatively*, as suggested, using the pronoun y.

1. Est-ce que Pierre est au cinéma?   Oui, il _____.

2. Est-ce que Jeannette est chez elle?   Oui, elle _____.

3. Est-ce que Nicolas est chez Bernard?   Non, il _____.

4. Est-ce que Charles dîne au restaurant?   Oui, il _____.

5. Est-ce que Thomas va en ville?   Non, il _____.

6. Est-ce que Suzanne est allée au concert? Oui, elle _____.

TEST 5 AU RÉGIME

Describe the diets of the following people by answering the questions *affirmatively* or *negatively* as indicated. Use the pronoun **en**.

1. Est-ce que Nathalie mange de la viande?   Oui, elle _____.

2. Est-ce que Pierre mange du pain?   Non, il _____.

3. Est-ce que Suzanne boit du lait?   Oui, elle _____.

4. Est-ce que Paul boit du coca?   Non, il _____.

5. Est-ce qu'Henri prend des fruits?   Oui, il _____.

6. Est-ce que Bernadette achète des bonbons? Oui, elle _____.

TEST 6 EXCÈS ALIMENTAIRES (*Overeating*)

Doctor Bonconseil is scolding a patient who has been overeating. Complete the doctor's statements with **trop** or **trop de (d')**, as appropriate.

1. Vous mangez _____ .

2. Vous prenez _____ gâteaux.

3. Vous mangez _____ pain.

4. Vous aimez _____ la bière.

5. Vous dînez _____ souvent au restaurant.

6. Vous avez _____ appétit.

7. Votre femme (*wife*) vous prépare _____ bons repas.

8. Vous allez à _____ banquets.

TEST 7   JACQUES AUSSI

Jacques has the same things that Marie has. Describe what Jacques owns by completing the sentences below. Use the pronoun **en.**

1. Marie a un vélo.   Jacques _____ .

2. Marie a une voiture.   Jacques _____ .

3. Marie a dix posters.   Jacques _____ .

4. Marie a six disques de jazz.   Jacques _____ .

5. Marie a beaucoup de photos.   Jacques _____ .

6. Marie a peu de livres.   Jacques _____ .

Vocabulaire

TEST 8   L'INTRUS (*The intruder*)

Read each set of three nouns. Two fit the same category. One does not. It is the intruder. Circle it.

▷   orange   (carotte)   banane

1.	tomate	pomme	poire	4.	cerises	fraises	pommes de terre
2.	sel	sucre	œuf	5.	haricots	beurre	petits pois
3.	huile	riz	vinaigre	6.	fruits	légumes	repas

TEST 9   À TABLE

Write the names of the various objects you see. Use the appropriate definite articles.

1. _____   5. _____

2. _____   6. _____

3. _____   7. _____

4. _____   8. _____

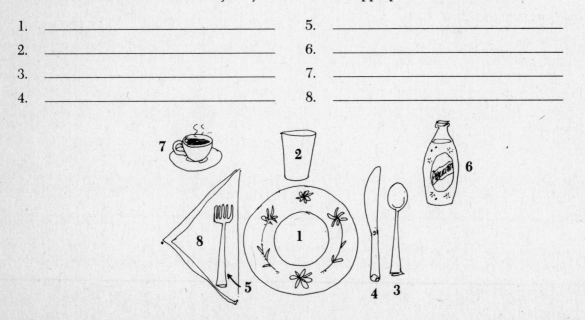

           Unité huit   **213**

Culture

TEST 10 **VRAI OU FAUX?**

Read the following statements. If the information is true, circle **vrai.** If the information is false, circle **faux.**

vrai faux 1. Le lycée est l'équivalent de l'université américaine.

vrai faux 2. En France, le théâtre est relativement bon marché.

vrai faux 3. Ionesco est l'auteur de «La Leçon».

vrai faux 4. Les jeunes Français vont souvent au café.

vrai faux 5. Au café, on boit seulement (*only*) du café ou du thé.

vrai faux 6. La cuisine française est très réputée (*famous*).

vrai faux 7. Le champagne est un vin d'origine française.

vrai faux 8. La Champagne est une région de France.

ACTIVITY ANSWERS

PRÉLUDE LEÇON 1

1. Salut, Jacqueline! Salut, Henri!
   Bonjour, Paul! Bonjour, Madame!
   Bonjour, Mademoiselle! Bonjour, Monsieur!
2.
Anthony	Peter	Monica	Lucy
Henry	Lawrence	Mary	Beatrice
Matthew	John	Susan	Laura
Francis	Luke	Helen	Veronica
Allan	James	Emily	Theresa
Philip		Sylvia	
3.

4. 1. Salut!   4. Qui est-ce?
   2. Bonjour!   5. C'est Henri.
   3. Au revoir!   6. Voici Anne.

PRÉLUDE LEÇON 2

1. Je m'appelle . . .
   Ça va . . .
2. 1. Ça va mal.
   2. Ça va.
   3. Ça va bien.
   4. Ça va très bien.
   5. Ça va très mal.
3. Bernier, Blanchard, Camus, Dumas, Dupont, Duval,
   Guyon, Lafleur, Leblanc, Leclerc, Maréchal, Martineau,
   Masson, Moreau, Perreault, Rémy, Rousseau, Simonard,
   Thibaudeau, Vallée, Villette

PRÉLUDE LEÇON 3

1. (Answers will vary.)
2. Card 1: 2, 8, 11, 14, 17, 20, 22, 24, 27, 39, 45, 50, 51, 60
   14
   Card 2: 5, 6, 9, 10, 13, 16, 18, 31, 42, 43, 54, 56, 60
   13
3. 1. six   7. vingt
   2. huit   8. trente
   3. onze   9. quarante et un
   4. treize   10. quarante-quatre
   5. quinze   11. cinquante
   6. dix-huit   12. soixante

4. 1. Pardon.   4. C'est combien?
   2. Merci.   5. C'est cinq francs.
   3. S'il vous plaît.

PRÉLUDE LEÇON 4

1. 1. oui   4. oui
   2. non   5. oui
   3. non   6. oui
2. 1. Il est une heure.
   2. Il est deux heures.
   3. Il est midi.
   4. Il est trois heures et quart.
   5. Il est quatre heures et demie.
   6. Il est six heures cinq.
   7. Il est sept heures moins dix.
3. 1. hotel   6. cathedral
   2. hospital   7. park
   3. pharmacy   8. bank
   4. theater   9. supermarket
   5. museum   10. service station

PRÉLUDE LEÇON 5

1.

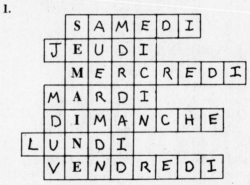

2. (Answers will vary.)
3. 1. le 20 février   le 20 mars
   2. le 21 mars   le 20 avril
   3. le 21 avril   le 21 mai
   4. le 22 mai   le 21 juin
   5. le 22 juin   le 23 juillet
   6. le 24 juillet   le 23 août
   7. le 24 août   le 23 septembre
   8. le 24 septembre   le 23 octobre
   9. le 24 octobre   le 22 novembre
   10. le 23 novembre   le 21 décembre
   11. le 22 décembre   le 20 janvier

PRÉLUDE LEÇON 6

1. (Answers will vary.)
2. (Answers will vary.)
3. 1. journalist   6. professor (teacher)
   2. pharmacist   7. IBM programmer
   3. interpreter   8. mechanic
   4. pianist   9. veterinarian
   5. electrician   10. photographer

RÉCRÉATION CULTURELLE

Passeport
1. Lepesteur
2. Sylvie
3. no
4. May 18, 1962
5. Courbevoie
6. student
7. 32 rue Carnot, Noisy le Sec

Carnet d'adresses

Bonne fête!

le premier décembre	mardi
le 6 octobre	mardi
le 4 novembre	mercredi
le 5 novembre	jeudi
le 15 novembre	dimanche
le 25 novembre	mercredi
le 29 décembre	mardi
le 30 décembre	mercredi
le 30 novembre	lundi
le 3 octobre	samedi
le 9 octobre	vendredi

UNITÉ 1   LEÇON 1

C1. (3) . . . français. (4) Je joue au tennis.
(1) Je m'appelle Marc Dubois. (2) J'habite à Québec. (3) Je parle français et anglais. (4) Je joue au hockey.
(1) Je m'appelle Nathalie Lambert. (2) J'habite à Bordeaux. (3) Je parle français et espagnol. (4) Je joue au volleyball.

D1. 1. Oui, je joue au tennis. (Non, je ne joue pas au tennis.)
2. Oui, je skie. (Non, je ne skie pas.)
3. Oui, je parle anglais. (Non, je ne parle pas anglais.)
4. Oui, je parle espagnol. (Non, je ne parle pas espagnol.)

D2. 1. Je dîne avec Annie. Je ne dîne pas avec Jacqueline.
2. Je téléphone à Pierre. Je ne téléphone pas à Jacques.
3. Je visite Paris. Je ne visite pas New York.
4. Je joue au tennis. Je ne joue pas au volleyball.

UNITÉ 1   LEÇON 2

A1. 1. B   3. A   5. B
2. C   4. D   6. A

A2. 1. Elle joue   4. Il joue
2. Ils jouent   5. Ils jouent
3. Elles jouent

A3. 1. Elles habitent à Paris. Elles n'habitent pas à Québec. Elles parlent français.
2. Elle n'étudie pas. Elle téléphone. Elle ne parle pas anglais.
3. Ils dansent. Ils parlent. Ils n'étudient pas.
4. Ils visitent New York. Ils ne visitent pas Paris. Ils n'habitent pas à New York.

B1. 1. Est-ce que Nicole parle français?
2. Est-ce que Nicole parle créole aussi?
3. Est-ce que Nicole étudie l'anglais?
4. Est-ce que Nicole danse bien?

B2. 1. Est-ce qu'il skie?
2. Est-ce qu'ils skient?
3. Est-ce qu'elle danse?
4. Est-ce qu'ils dansent?
5. Est-ce qu'ils jouent au tennis?
6. Est-ce qu'elles jouent au tennis?

UNITÉ 1   LEÇON 3

A1. 1. J'   5. Tu   8. Je
2. Vous   6. J'   9. Vous
3. Nous   7. Nous   10. Nous
4. Tu

A2. 1. jouez; étudie   3. jouons; étudiez
2. joue; étudies   4. joues; étudions

A3. 1. Est-ce que tu parles espagnol?
2. Est-ce que tu joues au tennis?
3. Est-ce que tu skies?

B1. 1. J'habite à . . .
2. Je dîne à . . .
3. Je joue bien (mal) au tennis.
4. Je joue au tennis au printemps (en été).

B2. 1. Quand est-ce qu'elle visite Québec?
2. Quand est-ce qu'il arrive à New York?
3. Quand est-ce qu'elles visitent Montréal?
4. Quand est-ce qu'ils arrivent à Rome?
5. Quand est-ce qu'il rentre à Dakar?

B3. 1. Quand   4. À quelle heure
2. Quand   5. Comment
3. Où

UNITÉ 1 LEÇON 4

A1.
1. Est-ce que vous jouez au tennis?
2. Est-ce que tu joues au tennis?
3. Est-ce que tu joues au tennis?
4. Est-ce que vous jouez au tennis?

B1.
1. téléphone; Je n'étudie pas.
2. visitons; Nous n'étudions pas.
3. dansent; Ils n'étudient pas.
4. écoutez; Vous n'étudiez pas.
5. chantes; Tu n'étudies pas.
6. joue; Il n'étudie pas.
7. jouent; Elles n'étudient pas.
8. invite; Il n'étudie pas.

C1.
1. Il aime téléphoner.
2. Ils aiment voyager.
3. Elle aime danser.
4. Il aime jouer au tennis.
5. Nous aimons jouer au volleyball.
6. Vous aimez jouer au hockey.

C2.
1. Je chante. (Je ne chante pas.) J'aime chanter. (Je n'aime pas chanter.)
2. Je regarde la télé. (Je ne regarde pas la télé.) J'aime regarder la télé. (Je n'aime pas regarder la télé.)
3. J'écoute la radio. (Je n'écoute pas la radio.) J'aime écouter la radio. (Je n'aime pas écouter la radio.)
4. Je nage. (Je ne nage pas.) J'aime nager. (Je n'aime pas nager.)
5. Je voyage. (Je ne voyage pas.) J'aime voyager. (Je n'aime pas voyager.)

C3.
1. Oui, j'aime voyager. (Non, je n'aime pas voyager.)
2. Oui, je désire visiter Paris. (Non, je ne désire pas visiter Paris.)
3. Oui, j'aime étudier le français. (Non, je n'aime pas étudier le français.)

UNITÉ 1 LEÇON 5

A1.

▷	*nous*	S	O	M	M	E	S
1.	TU		E	S			
2.	JE			S	U	I	S
3.	VOUS	Ê	T	E	S		
4.	ILS/ELLES			S	O	N	T
5.	IL/ELLE		E	S	T		

A2.
1. Je suis à la maison.
2. Elle n'est pas à la maison.
3. Nous ne sommes pas à la maison.
4. Tu es à la maison.
5. Ils ne sont pas à la maison.
6. Vous n'êtes pas à la maison.

7. Elle n'est pas à la maison.
8. Ils sont à la maison.

B1.
1. Qui joue au ping-pong?
2. Qui parle anglais?
3. Qui étudie l'espagnol?
4. Qui aime danser?
5. Qui aime voyager?
6. Qui aime chanter?

C1.
1. qui est-ce que tu téléphones souvent?
2. qui est-ce que tu parles rarement?
3. qui est-ce que tu étudies?
4. qui est-ce que tu travailles?
5. qui est-ce que tu parles anglais?
6. qui est-ce que tu parles italien?
7. qui est-ce que tu parles?

D1.
1. Oui, je suis en vacances aujourd'hui. (Non, je ne suis pas en vacances aujourd'hui.)
2. Je suis . . .
3. Oui, j'aime chanter. (Non, je n'aime pas chanter.)
4. Oui, je joue au tennis. (Non, je ne joue pas au tennis.) Je joue avec . . .
5. Oui, je travaille. (Non, je ne travaille pas.) Je travaille pour . . .

RÉCRÉATION CULTURELLE

Les pays francophones

Afrique	*Amérique du Nord*	*Europe*
Algeria	Canada	Belgium
Cameroun		Luxemburg
Ivory Coast	*Antilles*	Monaco
Madagascar	Haiti	
Mali		
Morocco	*Océanie*	
Senegal	French Polynesia	
Tunisia		

Finances internationales
1. Canada
2. $1.00
3. Queen Elizabeth
4. Belgium
5. 100 francs
6. $3.50
7. Switzerland
8. 10 francs
9. $6.00
10. German and Italian

Vacances à Québec
1. Au Bon Accueil
2. no
3. bath, TV
4. July 2–12
5. 10:30
6. 4:00
7. 25¢

Où?
1. Tahiti
2. Martinique
3. Bambou-Hôtel
4. February 16

Le système métrique
1. 2 kilogrammes
2. 2 litres
3. 8,042,656 kilogrammes
4. 2,999,740 centimètres
5. 833.46 kilomètres

UNITÉ 2 LEÇON 1

A1.
1. M
2. M
3. F
4. M
5. M
6. F
7. M
8. F

A2.
1. Paul est un camarade.
2. Nicole est une élève.
3. Philippe est un ami.
4. Suzanne est une cousine.
5. Marc est un élève.
6. Thomas est un cousin.

B1.
1. L'homme travaille. La femme regarde.
2. Le professeur parle. L'élève écoute.
3. La fille chante. Le garçon écoute.

C1.
1. est blonde
2. est petite
3. est grande
4. est intelligente
5. est sympathique
6. est belle

C2. (Answers will vary.)
Auto-portrait (Answers will vary.)

UNITÉ 2 LEÇON 2

A1. 1. il
2. elle
3. il
4. elle
5. il
6. elle

A2. 1. Il est intéressant.
2. Elle est verte.
3. Il est grand.
4. Elle est noire.

A3. 1. . . . une raquette et un livre
2. une voiture (auto), un téléviseur et un transistor (une radio)
3. un appareil-photo, une caméra et une montre
4. une moto, une guitare et un sac

B1. 1. IL/ELLE — A
2. J' — A I
3. TU — A S
4. ILS/ELLES — O N T
5. VOUS — A V E Z
6. NOUS — A V O N S

C1. 1. Elle n'a pas de téléviseur.
2. Il n'a pas de raquette.
3. Il n'a pas de transistor.
4. Elle n'a pas d'électrophone.
5. Il n'a pas de montre.

Vos possessions (Answers will vary.)

UNITÉ 2 LEÇON 3

A1. 1. est un garçon pénible
2. est une amie sincère
3. est un homme drôle
4. est une femme intelligente

A2. 1. François invite une fille blonde.
2. Thérèse dîne avec un garçon brun.
3. Jacques téléphone à une fille amusante.
4. Nathalie a un livre intéressant.
5. M. Moreau a une voiture bleue.
6. Mme Larousse a une voiture verte.

B1. 1. C'est un acteur.
2. C'est une actrice.
3. C'est une championne de tennis.
4. C'est un boxeur.
5. C'est un cow-boy.

B2. 1. C'est une voiture (auto). Elle est petite. C'est une mauvaise voiture (auto).
2. C'est un téléviseur. Il est grand. C'est un mauvais téléviseur.
3. C'est une moto. Elle est grande. C'est une bonne moto.
4. C'est une bicyclette. Elle est petite. C'est une mauvaise bicyclette. (C'est un vélo. Il est petit. C'est un mauvais vélo.)

B3. 1. C'est; Il est; C'est
2. Elle est; C'est; Elle est
3. C'est; Elle est
4. Il est; C'est

La voiture familiale (Answers will vary.)

UNITÉ 2 LEÇON 4

A1. 1. l', la   2. le, les   3. le, la   4. l', le

B1. 1. est une
2. est un
3. sont des
4. sont des
5. sont des
6. sont des

C1. 1. Ils sont français.
2. Elles sont françaises.
3. Elles sont canadiennes.
4. Ils sont anglais.
5. Ils sont espagnols.
6. Elles sont américaines.

D1. 1. Il y a un appareil-photo.
2. Il y a des cassettes.
3. Il y a un transistor (une radio).
4. Il y a des montres.
5. Il y a un téléviseur.
6. Il y a des disques.

D2. 1. Oui, il y a une moto. (Non, il n'y a pas de moto.)
2. Oui, il y a une guitare électrique. (Non, il n'y a pas de guitare électrique.)
3. Oui, il y a des disques français. (Non, il n'y a pas de disques français.)
4. Oui, il y a des magazines espagnols. (Non, il n'y a pas de magazines espagnols.)
5. Oui, il y a des cassettes françaises. (Non, il n'y a pas de cassettes françaises.)

E1. 1. française, français, françaises
2. américaine, américains, américaines
3. anglaise, anglais, anglaises
4. espagnole, espagnols, espagnoles

Votre chambre
(Answers will vary.)

UNITÉ 2 LEÇON 5

A1. 1. J'aime danser. C'est amusant! (Je n'aime pas danser. Ce n'est pas amusant!)
2. J'aime regarder la télé. C'est drôle! (Je n'aime pas regarder la télé. Ce n'est pas drôle!)
3. J'aime jouer au hockey. Ce n'est pas dangereux! (Je n'aime pas jouer au hockey. C'est dangereux!)
4. J'aime jouer au tennis. C'est facile! (Je n'aime pas jouer au tennis. Ce n'est pas facile!)
5. J'aime voyager. C'est intéressant! (Je n'aime pas voyager. Ce n'est pas intéressant!)
6. J'aime visiter les musées. Ce n'est pas pénible! (Je n'aime pas visiter les musées. C'est pénible!)

B1. 1. Ce n'est pas lui.
2. Ce n'est pas elle.
3. Ce n'est pas lui.
4. C'est lui.
5. C'est elle.

B2. 1. elle   5. elles   9. toi (vous)
2. lui   6. eux   10. vous
3. lui   7. elle   11. nous
4. elle   8. moi   12. eux

B3. 1. Lui! (Pas lui!)
2. Elles! (Pas elles!)
3. Lui! (Pas lui!)
4. Eux! (Pas eux!)

B4. 1. Elle danse avec lui.
2. Il travaille pour lui.
3. Elle dîne avec eux.
4. Il parle avec elle.
5. Il voyage avec eux.
6. Elles travaillent pour elle.

Occupations
(Answers will vary.)

RÉCRÉATION CULTURELLE

La Renault 5
3. Le Car

Automobile Club
1. Automobile Club de L'Ouest
2. 24 Heures du Mans
3. 24 hours
4. Pontiac

UNITÉ 3   LEÇON 1

A1.
1. IL / ELLE | V A
2. TU | V A S
3. JE | V A I S
4. ILS/ELLES | V O N T
5. VOUS | A L L E Z
6. NOUS | A L L O N S

B1.
1. Il va au Café Anglais. Au Café Anglais, il a un rendez-vous avec des amis.
2. Il va à la Bibliothèque. À la Bibliothèque, il regarde un magazine.
3. Il va au Parc Public. Au Parc Public, il parle à un homme.
4. Il va au Restaurant Japonais. Au Restaurant Japonais, il dîne avec une amie.

B2.
1. Henri parle au professeur.
2. Le professeur parle aux élèves.
3. Le guide parle aux touristes.
4. Nathalie téléphone au garçon canadien.
5. Sylvie téléphone à l'étudiant français.
6. Jacques et Paul sont au cinéma.
7. Georges va à la plage.
8. Francine et Sylvie vont à l'école.

B3.
1. Ils vont au stade.
2. Nous allons au musée.
3. Elle va au cinéma.
4. Nous allons au concert.
5. Vous allez à la campagne.
6. Je vais à la bibliothèque.
7. Tu vas au restaurant.
8. Ils vont à la plage (à la piscine).

C1.
1. Je vais voyager.
2. Nous allons jouer au tennis.
3. Il va travailler.
4. Vous allez aller au cinéma.
5. Ils ne vont pas étudier.
6. Elle ne va pas regarder la télé.
7. Nous n'allons pas aller à l'école.
8. Tu ne vas pas travailler.

C2. (Answers will vary.)

UNITÉ 3   LEÇON 2

A1.
1. chez Suzanne
2. chez Marc et Louis
3. chez le professeur
4. chez Monsieur et Madame Berthier

A2.
1. rentre chez moi
2. allons chez nous
3. es chez toi
4. reste chez elle
5. sont chez eux
6. allez chez vous
7. restent chez elles
8. regardent la télé chez eux

B1.
1. le sac de Mélanie
2. la guitare d'Anne-Marie
3. la caméra de Monsieur Imbert
4. la raquette de Madame Dumas
5. les disques d'André

C1.
1. Philippe parle du professeur.
2. Nous parlons des sœurs de Jacques.
3. Vous parlez du cousin de François.
4. Je parle de l'amie de Pauline.
5. Henri parle des cousines de Nathalie.
6. Tu parles du concert.
7. Albert parle de la voiture de Paul.

C2.
1. Non, la maison du docteur Seringue est verte.
2. Non, la bicyclette de l'ami de François est noire.
3. Non, l'auto des amies de Christine est jaune.
4. Non, le sac de la cousine de Paul est bleu.

D1.
1. Henri joue au foot. Il joue du banjo.
2. Jacqueline joue au basket. Elle joue de la flûte.
3. Les cousines de Paul joue au tennis. Elles jouent du violon.

Et vous? (Answers will vary.)

UNITÉ 3   LEÇON 3

A1.
1. ta; Ma raquette
2. tes; Mes disques
3. ton; Mon auto
4. ton; Mon sac

A2. (Answers will vary.)

B1.
1. Ma, a . . . ans. Elle est jeune. (Elle n'est pas jeune.)
2. Mon, a . . . ans. Il/Elle est jeune. (Il/Elle n'est pas jeune.)
3. Mon, a . . . ans. Il/Elle est jeune. (Il/Elle n'est pas jeune.)
4. Mon, a . . . ans. Il est jeune. (Il n'est pas jeune.)
5. Mon/Ma, a . . . ans. Il/Elle est jeune. (Il/Elle n'est pas jeune.)

C1.
1. de musique pop
2. de tennis
3. d'histoire
4. de ping-pong
5. de golf
6. de photos
7. d'anglais
8. de baseball

Famille (Answers will vary.)

UNITÉ 3   LEÇON 4

A1.
1. sa, ses
2. son, ses
3. son
4. son
5. ses; sa; ses

B1.
1. Elle n'a pas sa
2. Ils n'ont pas leurs
3. Elles n'ont pas leur
4. Il n'a pas ses
5. Ils n'ont pas leur
6. Ils n'ont pas leur

B2.
1. . . . son transistor (sa radio) et son sac
2. sa bicyclette (son vélo), ses disques et sa guitare
3. leurs chats et leur chien
4. leurs poissons (rouges) et leurs oiseaux

C1.
1. est cinquième
2. est septième
3. est premier
4. est troisième
5. est huitième
6. est deuxième
7. est quatrième

La famille de mes amis (Answers will vary.)

UNITÉ 3 LEÇON 5

A1. 1. notre; Il est dans votre
2. notre; Elle est dans votre
3. nos; Elles sont dans vos
4. nos; Elles sont dans vos

B1. 1. tes; Où habitent vos cousins?
2. ton; Où travaille votre père?
3. ton; Où est votre école?
4. tes; Où sont vos disques?

B2. 1. sa   3. ma, mes   5. leur
2. notre, nos   4. ta, ton   6. leurs

C1. 1. La raquette est à Paul.
2. L'appareil-photo est à mes cousins.
3. La flûte est à mon frère.
4. Le téléviseur est à vous.
5. L'électrophone est à toi.

Objets (Answers will vary.)

RÉCRÉATION CULTURELLE

En métro
1. Bir Hakeim *or* Dupleix
2. Cité *or* St Michel

Sur la route
1. 258 kilometers to Marseille and 55 kilometers to Lyon, via a toll road.
2. The road divides 1000 meters ahead.
3. Gasoline 23 kilometers ahead.
4. Restaurant 1000 meters ahead.
5. Coffee shop 1000 meters ahead.
6. Lodging 200 meters ahead. Next lodging 95 kilometers.
7. Tourist office 200 meters ahead. Next tourist office 95 kilometers.

UNITÉ 4 LEÇON 1

A1. 1. choisit; Elle dépense 10 francs.
2. choisissons; Nous dépensons 5 francs.
3. choisis; Tu dépenses 25 francs.
4. choisis; Je dépense 35 francs.
5. choisissez; Vous dépensez 50 francs.
6. choisissent; Elles dépensent 60 francs.

A2. 1. Il ne grossit pas   4. Vous maigrissez
2. Nous réussissons   5. Je finis
3. Ils choisissent   6. Ils ne réussissent pas

B1. 1. Qu'est-ce que tu parles   3. Qu'est-ce que tu regardes
2. Qu'est-ce que tu aimes   4. Qu'est-ce que tu désires

C1. 12, 16, 28, 37, 60, 68, 71, 79, 83, 93

C2. 1. soixante   4. soixante-dix-huit
2. soixante-cinq   5. quatre-vingt-trois
3. soixante-douze   6. quatre-vingt-onze

UNITÉ 4 LEÇON 2

V1. 1. . . . un tee-shirt, des chaussures et des chaussettes
2. Il porte des lunettes de soleil, un tee-shirt, un maillot de bain et des sandales.
3. Elle porte un anorak, des lunettes de soleil, un pantalon et des bottes.
4. Il porte une veste, un pantalon et des chaussures.

A1. 1. achète une guitare
2. achetons un téléviseur
3. achète une batte de baseball
4. achètent des skis
5. achètent un électrophone
6. achetez des livres d'histoire
7. achètes une raquette

C1. 1. Quelle amie?   4. Quels Anglais?
2. Quelles filles?   5. Quelles amies?
3. Quel garçon?   6. Quels amis français?

D1. 1. Quelles; J'écoute ces cassettes.
2. Quel; Je regarde cet appareil-photo.
3. Quel; J'achète ce tee-shirt.
4. Quelle; J'aime cette veste.
5. Quels; Je choisis ces pantalons.

D2. 1. Cet homme-ci . . .   Cet homme-là . . .
2. Cette fille-ci . . .   Cette fille-là . . .
3. Ces chaussures-ci . . .   Ces chaussures-là . . .
4. Ce short-ci . . .   Ce short-là . . .

Projets

(Answers will vary.)

UNITÉ 4 LEÇON 3

V1. A. (1) un chapeau blanc (2) un manteau jaune (3) un pantalon noir
B. (4) des lunettes de soleil (5) une robe rouge (6) des chaussures blanches
C. (7) un chemisier vert (8) une jupe bleue (9) des chaussettes blanches
D. (10) une chemise blanche (11) une cravate rouge (12) une veste bleue

A1. 1. belle, beau, belles; bel, beaux
2. vieux; vieilles, vieux, vieux
3. nouveau, nouveaux, nouvelles; nouvel

B1. 1. Pauline est moins jolie que Louise.
2. Pauline est plus intelligente que Louise.
3. Pauline est moins athlétique que Louise.
4. Pauline est moins élégante que Louise.

B2. 1. Le Texas est plus grand que le Vermont.
2. Chicago est moins grand que New York.
3. Les garçons sont plus (moins, aussi) généreux que les filles.
4. Un chat est plus (moins, aussi) intelligent qu'un chien.
5. Les Françaises sont plus (moins, aussi) élégantes que les Américaines.
6. Les voitures japonaises sont meilleures (moins bonnes, aussi bonnes) que les voitures américaines.
7. Les Red Sox sont meilleurs (moins bons, aussi bons) que les Yankees.

UNITÉ 4 LEÇON 4

A1. 1. est   3. a   5. est
2. a   4. est   6. a

A2.
1. Elle a soif (faim).
2. Nous avons chaud.
3. J'ai froid.
4. Vous avez faim.
5. Tu as soif.
6. Il a chaud.

B1.
1. Elle a envie de
2. Nous avons envie d'
3. Vous n'avez pas envie d'
4. J'ai envie de
5. Ils n'ont pas envie d'
6. Il n'a pas envie d'
7. Tu as envie de
8. Nous n'avons pas envie de

C1.
1. le plus drôle est . . .
2. le plus stupide est . . .
3. la plus économique est . . .
4. la plus confortable est . . .
5. la plus intéressante est . . .
6. le plus beau est . . .
7. la plus jolie est . . .
8. la plus intelligente est . . .

C2.
1. L'hôtel le plus grand est . . .
2. L'école la plus moderne est . . .
3. Le meilleur restaurant est . . .
4. Les boutiques les moins chères sont . . .
5. Le restaurant le moins bon est . . .

UNITÉ 4   LEÇON 5

A1.
1. vendent des livres
2. vendons des bottes
3. vend des médicaments
4. vendez des gâteaux
5. vends des bananes
6. vends des chemises

B1.
1. On joue au hockey. (On ne joue pas au hockey.)
2. On skie. (On ne skie pas.)
3. On aime les sports. (On n'aime pas les sports.)
4. On parle espagnol. (On ne parle pas espagnol.)
5. On est généreux. (On n'est pas généreux.)
6. On est conservateur. (On n'est pas conservateur.)
7. On a chaud en été. (On n'a pas chaud en été.)
8. On a froid en hiver. (On n'a pas froid en hiver.)

B2.
1. on va au café
2. on va à la plage
3. on achète des vêtements chers
4. on reste à la maison
5. on a beaucoup d'amis
6. on aime voyager
7. on réussit
8. on déteste attendre
9. on maigrit

V1.
1. chez le pâtissier
2. chez le marchand de chaussures
3. chez le pharmacien
4. chez le libraire
5. chez l'épicier
6. chez le marchand de vêtements

C1.
1. . . . au Sénégal et au Canada
2. en Espagne, au Pérou, au Chili et en Argentine
3. aux États-Unis, au Canada, en Angleterre et en Australie

Les jeunes Américains
(Answers will vary.)

RÉCRÉATION CULTURELLE

L'art de la persuasion
1. shoes (**chaussures**)
2. Pancaldi
3. Samaritaine
4. Old England
5. 12, Bd des Capucines - Paris
6. clothing (**vêtements**)
7. men, women, and children (**l'homme, la femme et l'enfant**)
8. suits, blazers, pants, jackets, shirts (**costumes, blazers, pantalons, vestes, chemises**)
9. tall men
10. ski boots
11. Scott
12. yes

Les soldes
1. Sigrand Covett
2. Tours
3. 10:00 A.M.–7:30 P.M., except Sundays
4.

hommes	dames	jeunes garçons	petites filles
shirts	coats	pea jackets	pants
sweaters	dresses	car coats	dresses
suits	raincoats	parkas	skirts
jackets	skirts	(ski jackets)	

Les kilos superflus
1. International Slimming Centers
2. Paris, Lyon, Toulouse
3. 10, 23
4. no

Comment payer par chèque

UNITÉ 5   LEÇON 1

A1.
1. L'argent est nécessaire. (L'argent n'est pas nécessaire.)
2. La violence est stupide. (La violence n'est pas stupide.)
3. La musique classique est intéressante. (La musique classique n'est pas intéressante.)
4. Les adultes sont conservateurs. (Les adultes ne sont pas conservateurs.)
5. Les filles sont indépendantes. (Les filles ne sont pas indépendantes.)
6. Les garçons sont généreux. (Les garçons ne sont pas généreux.)
7. Les voitures américaines sont économiques. (Les voitures américaines ne sont pas économiques.)
8. Les films américains sont intelligents. (Les films américains ne sont pas intelligents.)

A2.
1. Le ski et le tennis sont
2. La banane et l'orange sont
3. La musique et la sculpture sont
4. La biologie et la géologie sont
5. Le chat et le chien sont

B1.
1. préfèrent
2. préfère
3. préférons
4. préfère
5. préférez
6. préfères

C1. (Answers will vary.)

UNITÉ 5 LEÇON 2

V1. soupe   fromage
poisson   gâteau
jambon   glace
poulet   bière
salade   vin

A1.
1. du jambon, du poulet
2. du gâteau, de la glace
3. de la bière, du vin

A2.
1. Je désire de la
2. Je désire du
3. Je désire de l'
4. Je désire du
5. Je désire de la
6. Je désire du

A3.
1. Je désire du poisson (de la viande).
2. Je désire du rosbif (du poulet).
3. Je désire de la salade (du fromage).
4. Je désire du gâteau (de la glace).
5. Je désire du thé (du café).
6. Je désire de la limonade (du Coca-Cola).

B1.
1. Oui, je mange du pain.
2. Oui, je mange de la soupe.
3. Oui, je mange de la glace.
4. Non, je ne mange pas de poulet.
5. Non, je ne mange pas de jambon.
6. Non, je ne mange pas de porc.

C1.
1. boit	5. bois
2. boit	6. bois
3. boivent	7. buvons
4. boivent	8. buvez

V2. (Answers will vary.)

UNITÉ 5 LEÇON 3

V1.
1. le patinage	5. le dessin
2. la cuisine	6. la natation
3. la gymnastique	7. la danse
4. la voile	

A1.
1. Voyage en bus. Ne voyage pas en avion. (Ne voyage pas en bus. Voyage en avion.)
2. Choisis un hôtel cher. Ne choisis pas d'hôtel bon marché. (Ne choisis pas d'hôtel cher. Choisis un hotel bon marché.)
3. Va en Floride. Ne va pas au Texas. (Ne va pas en Floride. Va au Texas.)
4. Bois du lait. Ne bois pas de jus d'orange. (Ne bois pas de lait. Bois du jus d'orange.)

A2.
1. Jouez au tennis!
2. Allez à la piscine!
3. Mangez des fruits!
4. Ne mangez pas beaucoup!
5. Buvez de l'eau minérale!
6. Ne buvez pas de whiskey!

B1.
1. J'aime le jambon (le poulet). Je vais acheter du jambon (du poulet).
2. J'aime la viande (le poisson). Je vais acheter de la viande (du poisson).
3. J'aime le gâteau (la glace). Je vais acheter du gâteau (de la glace).
4. J'aime la salade (la soupe). Je vais acheter de la salade (de la soupe).

5. J'aime le jus d'orange (l'eau minérale). Je vais acheter du jus d'orange (de l'eau minérale).

B2.
1. la	4. un	7. du	10. une
2. du	5. une	8. une	
3. du	6. Le	9. du	

Dîner
(Answers will vary.)

UNITÉ 5 LEÇON 4

A1.
1. Nous faisons attention.
2. Elle ne fait pas attention.
3. Vous faites attention.
4. Ils ne font pas attention.
5. Tu fais attention.
6. Je fais attention.

B1.
1. Elle fait du ski.
2. Nous faisons du judo.
3. Je fais du dessin.
4. Il fait de la voile.
5. Tu fais de la photo.
6. Vous faites de la natation.
7. Il fait du vélo.

C1.
1. reviens du magasin de disques
2. revenons du court de tennis
3. revient du restaurant
4. reviennent de la pâtisserie
5. revenez du supermarché
6. reviens de la bibliothèque

Activité de révision
1. est; fait; a; va	3. est; a; fait; va
2. est; fait; a; va	4. fait; a; va; est

Passe-temps personnels
(Answers will vary.)

UNITÉ 5 LEÇON 5

A1.
1. Elle prend son maillot de bain.
2. Ils prennent leurs livres.
3. Je prends mon argent.
4. Tu prends ton appareil-photo.
5. Vous prenez votre vélo.
6. Nous prenons nos skis.

B1.
1. Parlons anglais! (Ne parlons pas anglais!)
2. Téléphonons à nos parents! (Ne téléphonons pas à nos parents!)
3. Achetons des souvenirs! (N'achetons pas de souvenirs!)
4. Allons dans un restaurant très cher! (N'allons pas dans un restaurant très cher!)
5. Choisissons un hôtel bon marché! (Ne choisissons pas d'hôtel bon marché!)
6. Buvons du champagne! (Ne buvons pas de champagne!)
7. Prenons des photos! (Ne prenons pas de photos!)
8. Faisons une promenade en taxi! (Ne faisons pas de promenade en taxi!)

C1.
1. viennent d'; Ils sont contents!
2. venons d'; Nous ne sommes pas contents!
3. viens de; Tu n'es pas content!
4. vient de; Il est content!
5. viennent d'; Ils sont contents!

C2. 1. parce qu'il vient de manger un kilo de bonbons
2. parce qu'ils viennent d'acheter une nouvelle voiture
3. parce que tu viens de faire une promenade avec ta petite amie
4. parce que nous venons de perdre le match

Un voyage en France
(Answers will vary.)

RÉCRÉATION CULTURELLE

Au café
1. cake, croissants
2. ham, hot dog
3. orange, tomato, grape, apricot
4. 4,70
5. $1.15
6. more
7. yes

Au cinéma
1. Rex
2. 14,50
4. musical

5. James Caan, Barbra Streisand
7. La Maison du Docteur Edwardes
8. no
9. mystery
10. Gregory Peck, Ingrid Bergman
11. Alfred Hitchcock

À la télé ce soir
1. play
2. series and music program
3. 2 documentaries

La France à bicyclette
1. one form of identification
2. 100 francs
3. 15 francs per day, 10 francs per half day
4. yes

Les Jeux Olympiques
4. $4.00
5. track and field

UNITÉ 6   LEÇON 1

A1. 1. sommes; avons
2. est; a
3. avez; êtes
4. a; est
5. ai; suis
6. sont; ont
7. as, es

B1. 1. Avec qui danse-t-il?
2. Avec qui dîne-t-il?
3. Avec qui parle-t-elle?
4. Avec qui étudie-t-elle?
5. Avec qui jouent-elles au tennis?
6. Avec qui sont-ils en ville?
7. Avec qui travaillent-elles?
8. Avec qui visitent-ils Paris?

V1. 1. la main
2. le bras
3. le pied
4. les cheveux
5. l'œil
6. l'oreille
7. le dos
8. la jambe
9. le ventre

C1. 1. aux jambes et aux pieds
2. au ventre et aux dents
3. à la tête et à la gorge
4. aux pieds et aux jambes
5. aux oreilles et à la tête

C2. 1. ai mal . . .
2. avons mal . . .
3. a mal . . .
4. a mal . . .
5. ont mal . . .
6. ont mal . . .

UNITÉ 6   LEÇON 2

V1. 1. Il est dans la cuisine.
2. Elle est dans la salle de bains.
3. Je suis dans le salon.
4. Vous êtes dans le salon (la chambre).
5. Nous sommes dans la salle à manger.
6. Tu es dans la chambre.

A1. 1. a acheté; Elle a dépensé 100 francs.
2. ai acheté; J'ai dépensé 30 francs.
3. ont acheté; Elles ont dépensé 30 francs.
4. as acheté; Tu as dépensé 3 francs.
5. a acheté; Elle a dépensé 20 francs.
6. avez acheté; Vous avez dépensé 250 francs.
7. ont acheté; Ils ont dépensé 50 francs.
8. avons acheté; Nous avons dépensé 35 francs.

B1. 1. ont nagé. Elles ont regardé les garçons. Elles n'ont pas étudié.
2. avons acheté des disques. Nous avons visité un musée. Nous n'avons pas travaillé.
3. a dîné. Elle a mangé du rosbif. Elle n'a pas préparé le dîner.
4. a dansé. Elle a écouté la musique. Elle n'a pas joué au tennis.

C1. 1. a fait
2. a fait
3. ont fait
4. ai fait
5. as fait
6. avons fait
7. avez fait

Journal personnel
(Answers will vary.)

UNITÉ 6   LEÇON 3

A1. 1. voit
2. voient
3. voyons
4. voyez
5. vois
6. voit
7. voient
8. vois

B1. 1. n'a pas attendu
2. n'ont pas entendu
3. ai vendu
4. a perdu
5. n'as pas perdu
6. avons attendu
7. ne répond pas

C1. 1. a vendu
2. a acheté
3. a célébré
4. a bu
5. a eu
6. a été
7. a passé
8. a vendu

D1. 1. Quand a-t-il visité Québec?
2. Quand ont-ils été à Chicago?
3. Quand ont-elles été à Rome?
4. Quand a-t-elle visité New York?
5. Quand a-t-il acheté une moto?
6. Quand a-t-elle acheté une voiture?
7. Quand a-t-il vendu sa guitare?
8. Quand a-t-elle vendu son banjo?

Une page de journal
(Answers will vary.)

UNITÉ 6   LEÇON 4

A1. 1. mettons la télé
2. met un maillot de bain
3. mettez la table
4. met un disque
5. mets un short et un tee-shirt
6. mettent des vêtements élégants
7. mets un pull

B1. 1. Elle a obéi.   5. Ils ont obéi.
2. Tu n'as pas obéi.   6. Il n'a pas obéi.
3. Vous n'avez pas obéi. 7. Elle n'a pas obéi.
4. J'ai obéi.   8. Nous avons obéi.

B2. 1. as choisi; ai choisi
2. a maigri; a maigri
3. avez réussi; n'avons pas réussi
4. a fini; a fini
5. a obéi; n'a pas obéi

C1. 1. a pris   4. a compris
2. a mis   5. a appris
3. a mis

Une page de journal
(Answers will vary.)

UNITÉ 6   LEÇON 5

A1. . . . Jacques. Jacques sort avec nous. Nous sortons avec vous. Vous sortez avec Sophie et Marie. Sophie et Marie sortent avec toi. Tu sors avec Pierre et André. Pierre et André sortent avec moi.

B1. 1. Annette   4. Jacques
2. Jacques   5. Annette
3. Jacques

B2. 1. Il est entré dans le magasin.
2. Il est passé par la fenêtre.
3. Il est sorti avec un grand sac.
4. Il est monté dans sa voiture.
5. Il est parti très rapidement.

B3. 1. Elle est allée à son hôtel.
2. Elle a parlé avec les journalistes.
3. Elle est allé dans un magasin.
4. Elle a acheté une robe.
5. Elle est revenue à l'hôtel.
6. Elle est sortie avec un ami.
7. Elle a dîné dans un restaurant chinois.
8. Elle est rentrée à minuit.

B4. 1. est arrivé; a visité; est monté
2. est allée; est restée; a fait
3. sont allés; ont nagé; sont partis
4. sont passées; ont fait; sont sorties

Une page de journal
(Answers will vary.)

RÉCRÉATION CULTURELLE

Un appartement à Paris
1. 3   3. 1
2. no (medium)   4. dining area *or* family room

Une petite annonce
Apartement 2 chambres, salle de bains, cuisine, téléphone, 1.500 francs/mois
Téléphonez à: Madame Meslay 293.36.62

L'équipement ménager
1. washing machines   6. TV sets
2. refrigerators   7. tape recorders
3. freezers   8. record players
4. stoves   9. transistor radios
5. dishwashers   10. hi-fi sets

Vacances en Touraine
2. 8 francs
3. Amboise, Chaumont, Blois, Chambord, Montrésor, Loches
4. Amboise
5. Because royalty lived there.
6. July 6, 7; July 15; July 20, 21; July 27, 28; August 2, 3, 4

UNITÉ 7   LEÇON 1

A1. 1. ne travaillent jamais
2. ne téléphone jamais à ses clients
3. n'allons jamais au laboratoire
4. n'étudient jamais
5. ne fais jamais les courses

A2. 1. Elle n'a jamais voyagé en avion.
2. Il n'a jamais visité Paris.
3. Elle n'a jamais travaillé dans un restaurant.
4. Elle n'a jamais fait de voile.
5. Il n'est jamais allé à Québec.
6. Elle n'est jamais allée à Tahiti.

B1. 1. Je te téléphone; Je ne vous téléphone pas ce soir.
2. Je te prête; Je ne vous prête pas mes disques.
3. Je t'aide; Je ne vous aide pas avec ce problème.

B2. 1. me téléphone   4. vous prête
2. t'invite   5. m'attend
3. nous aide   6. vous aime

C1. 1. Il est garçon.   4. Elle est médecin.
2. Elle est serveuse.   5. Elles sont vendeuses.
3. Il est journaliste.   6. Elle est professeur.

Vos amis   (Answers will vary.)

UNITÉ 7   LEÇON 2

A1. 1. connaissent   3. connaît   5. connaissez
2. connais   4. connaissons   6. connais

B1. 1. le; l'   3. les; les
2. la; l'   4. les; les

B2. 1. Oui, je les regarde. (Non, je ne les regarde pas.)
2. Oui, je l'écoute. (Non, je ne l'écoute pas.)
3. Oui, je les écoute souvent. (Non, je ne les écoute pas souvent.)
4. Oui, je les aime. (Non, je ne les aime pas.)
5. Oui, je le prends. (Non, je ne le prends pas.)
6. Oui, je l'invite souvent. (Non, je ne l'invite pas souvent.)
7. Oui, je l'aide. (Non, je ne l'aide pas.)
8. Oui, je les fais. (Non, je ne les fais pas.)
9. Oui, je les vois. (Non, je ne les vois pas.)
10. Oui, je le connais bien. (Non, je ne le connais pas bien.)

B3. (Answers will vary.)

UNITÉ 7   LEÇON 3

B1. 1. Oui, prends-la. (Non, ne la prends pas.)
2. Oui, prends-le. (Non, ne le prends pas.)
3. Oui, prends-les. (Non, ne les prends pas.)
4. Oui, prends-les. (Non, ne les prends pas.)
5. Oui, prends-le. (Non, ne le prends pas.)
6. Oui, prends-les. (Non, ne les prends pas.)
7. Oui, prends-la. (Non, ne la prends pas.)
8. Oui, prends-le. (Non, ne le prends pas.)

B2. 1. Oui, téléphone-moi.
2. Oui, aide-moi.
3. Oui, attends-moi.
4. Oui, prête-moi tes disques.
5. Oui, donne-moi ton adresse.

C1. 1. Il sait réparer les voitures.
2. Je sais parler français et espagnol.
3. Ils savent piloter un avion.
4. Nous savons jouer du violon.
5. Vous savez faire la cuisine.
6. Tu sais vendre.

D1. 1. Je connais   6. Je connais
2. Je connais   7. Je sais
3. Je sais   8. Je connais
4. Je sais   9. Je connais
5. Je sais

Votre meilleur ami
(Answers will vary.)

UNITÉ 7   LEÇON 4

A1. 1. Non, je n'invite personne.
2. Non, je ne désire rien.
3. Non, je n'achète rien.
4. Non, je ne dîne avec personne.
5. Non, je ne téléphone à personne.
6. Non, je ne fais rien.

A2. 1. Quelqu'un chante, mais personne n'écoute.
2. Quelqu'un parle, mais personne ne comprend.
3. Quelqu'un joue du piano, mais personne ne fait attention.
4. Quelqu'un demande quelque chose, mais personne ne répond.

B1. 1. Je lui donne . . .   4. Je lui donne . . .
2. Je leur donne . . .   5. Je lui donne . . .
3. Je leur donne . . .   6. Je lui donne . . .

B2. 1. est-ce que tu lui téléphones
2. est-ce que tu lui rends visite

3. est-ce que tu leur demandes
4. est-ce que tu leur donnes
5. est-ce que tu lui vends
6. est-ce que tu leur réponds toujours

C1. 1. Je lui ai téléphoné hier.
2. Je lui ai parlé hier.
3. Je leur ai rendu visite hier.
4. Je l'ai invité hier.
5. Je l'ai appris hier.

L'anniversaire de Nicole
(Answers will vary.)

UNITÉ 7   LEÇON 5

A1. 1. lit   5. lisons   9. lis
2. écrit   6. écris   10. écrivez
3. lis   7. lisent   11. lisez
4. écris   8. écrivent   12. écrivons

A2. 1. dis   4. disons
2. disent   5. dis
3. dit   6. dites

B1. 1. André dit que non.
2. Paul pense que c'est faux.
3. Thérèse pense que c'est vrai.
4. Nous répondons que c'est évident.
5. Vous trouvez que c'est une question idiote.
6. Je déclare qu'il n'y a pas de différence.

C1. 1. l'; Je ne les aide pas.
2. lui; Je ne lui téléphone pas souvent.
3. leur; Je ne lui écris pas.
4. lui; Je ne leur prête pas mes disques.
5. l'; Je ne l'invite pas chez moi.

C2. (Answers will vary.)

RÉCRÉATION CULTURELLE

Le bulletin de notes
1. École Malesherbes
2. 81, boulevard Berthier, 75017 Paris
3. Jean-Philippe Vergne
4. Latin, English, Spanish
5. history, geography
6. math, science
7. He thinks Jean-Philippe could do better, and that he must make progress if he wants to succeed.

Une retenue
1. Paul Vincent
2. 1 hour
3. He misbehaved in English class.

UNITÉ 8   LEÇON 1

A1. 1. veut   5. ne veulent pas
2. ne voulez pas   6. veux
3. voulons   7. ne veux pas
4. veut   8. veulent

B1. (Answers will vary.)

C1. 1. Je vais leur téléphoner
2. Il va l'inviter
3. Il va les inviter
4. Tu vas lui écrire
5. Vous allez leur rendre visite
6. Je vais le vendre

L'avenir
(Answers will vary.)

UNITÉ 8   LEÇON 2

A1. 1. rapidement   6. normalement
2. facilement   7. difficilement
3. terriblement   8. dangereusement
4. ordinairement   9. courageusement
5. simplement   10. remarquablement

B1. 1. Ce n'est pas assez.   4. C'est assez.
2. C'est trop.   5. C'est beaucoup trop.
3. C'est beaucoup trop.   6. C'est trop.

C1. 1. Vous mangez trop de glace.
2. Vous mangez trop de gâteaux.
3. Vous mangez trop de dessert.
4. Vous mangez trop de crème.
5. Vous ne mangez pas assez de céleri.
6. Vous ne mangez pas assez de jambon.
7. Vous ne mangez pas assez de poulet.
8. Vous ne mangez pas assez de carottes.

C2. 1. beaucoup   8. beaucoup de
2. beaucoup   9. beaucoup de
3. beaucoup   10. beaucoup
4. beaucoup   11. beaucoup de
5. beaucoup de   12. beaucoup
6. beaucoup d'   13. beaucoup d'
7. beaucoup   14. beaucoup

J'aime beaucoup
(Answers will vary.)

UNITÉ 8   LEÇON 3

A1. 1. Moi aussi, j'y vais. (Moi, je n'y vais pas.)
2. Moi aussi, j'y suis. (Moi, je n'y suis pas.)
3. Moi aussi, j'y dîne. (Moi, je n'y dîne pas.)
4. Moi aussi, j'y étudie. (Moi, je n'y étudie pas.)
5. Moi aussi, j'y reste. (Moi, je n'y reste pas.)
6. Moi aussi, j'y vais. (Moi, je n'y vais pas.)
7. Moi aussi, j'y passe les vacances. (Moi, je n'y passe pas les vacances.)
8. Moi aussi, j'y mets mon argent. (Moi, je n'y mets pas mon argent.)

V1. 1. table—in front of the window
2. vase—on the table
3. bag—under the table
4. bed—to the left of the door
5. chair—between the bed and the table
6. lamp—behind the chair

V2. 1. entre   5. à gauche de
2. à gauche de   6. à droite de
3. derrière   7. loin de, près de
4. devant

B1. 1-6 Oui, j'en parle. (Non, je n'en parle pas.)

Une lettre de France
(Answers will vary.)

UNITÉ 8   LEÇON 4

A1. 1. n'ouvrons pas   4. n'ouvrent pas
2. ouvre   5. ouvres
3. ouvre   6. n'ouvrez pas

B1. 1. Achète des bananes, des oranges, des poires, des pommes, des fraises et des cerises.
2. Achète des bananes et de la glace.
3. Achète des pommes de terre, du lait et du beurre.
4. Achète des œufs, du sel et du lait.
5. Achète des œufs, du lait, du sel et du jambon.

C1. 1. j'en veux   3. j'en veux
2. je n'en veux pas   4. je n'en veux pas

C2. 1. . . . je n'en mange pas   2. . . . je n'en fais pas
    Mangez-en!   Faites-en!

3. . . . je n'en prends pas   4. . . . je n'en bois pas
    Prenez-en!   Buvez-en!

C3. 1. Oui, j'en ai. (Non, je n'en ai pas.)
2. Oui, j'en joue. (Non, je n'en joue pas.)
3. Oui, j'en écoute. (Non, je n'en écoute pas.)
4. Oui, j'en donne. (Non, je n'en donne pas.)
5. Oui, j'en connais. (Non, je n'en connais pas.)
6. Oui, j'en organise. (Non, je n'en organise pas.)

UNITÉ 8   LEÇON 5

V1. (Answers will vary.)

V2. 1. Elle utilise un verre.
2. Nous utilisons une tasse et une cuillère.
3. Tu utilises une assiette, une fourchette et un couteau.
4. J'utilise une assiette et une cuillère.

A1. 1. Oui, j'en ai beaucoup. (Non, je n'en ai pas beaucoup.)
2. Oui, j'en ai beaucoup. (Non, je n'en ai pas beaucoup.)
3. Oui, j'en mange beaucoup. (Non, je n'en mange pas beaucoup.)
4. Oui, j'en bois beaucoup. (Non, je n'en bois pas beaucoup.)
5. Oui, j'en connais beaucoup. (Non, je n'en connais pas beaucoup.)
6. Oui, j'en fais beaucoup. (Non, je n'en fais pas beaucoup.)
7. Oui, j'en lis beaucoup. (Non, je n'en lis pas beaucoup.)
8. Oui, j'en écris beaucoup. (Non, je n'en écris pas beaucoup.)
9. Oui, j'en achète beaucoup. (Non, je n'en achète pas beaucoup.)

B1. 1. Non, je n'en ai pas./Oui, j'en ai une.
2. Oui, j'en ai une./Non, je n'en ai pas.
3. Non, je n'en ai pas./Oui, j'en ai un.
4. Oui, j'en ai une./Non, je n'en ai pas.
5. Non, je n'en ai pas./Oui, j'en ai une.

B2. 1. J'en ai quatre.   3. J'en invite deux.
2. J'en achète six.   4. J'en mange quatre.

B3. 1. Non, il y en a 100.   4. Non, il y en a 2.
2. Non, il y en a 50.   5. Non, il y en a 2.
3. Non, il y en a un.   6. Non, il y en a 26.

RÉCRÉATION CULTURELLE

Attention aux calories!
$160 + 150 + 80 + 0 = 390$
$10 + 230 + 160 + 20 + 160 + 0 = 580$
$480 + 350 + 40 + 20 + 70 + 200 + 0 = 1160$

Une recette française: la salade niçoise

lettuce	ham
4 tomatoes	salt
2 eggs	pepper
anchovies	vinegar
tuna	oil

À l'hôtel
1. Hôtel Robinson   5. breakfast, dinner
2. Annecy   6. wine
3. April 5   7. $42.50, $3.75, $16.25
4. yes

TESTS DE CONTRÔLE ANSWERS • PRÉLUDE

Answers

Interpretation

TEST 1 LA LOTERIE

1. 20	4. 54	7. 13
2. 15	5. 48	8. 60
3. 30	6. 19	

If you made 2 or more mistakes, review the numbers in the Vocabulaires on pages 16 and 20 of your text.

TEST 2 AVANT ET APRÈS

1. cinq, sept
2. huit, dix
3. onze, treize
4. quatorze, seize
5. dix-neuf, vingt et un
6. dimanche, mardi
7. mercredi, vendredi
8. janvier, mars
9. avril, juin
10. juillet, septembre
11. automne, printemps
12. le quatre octobre, le six octobre
13. le premier décembre, le trois décembre

If you made any mistakes in:
Items 1–2: review the Vocabulaire on page 16;
Items 3–5: review the Vocabulaire on page 20;
Items 6–10: review the Vocabulaire on page 30;
Item 11: review the Vocabulaire on page 36;
Items 12–13: review the Vocabulaire on page 30.

TEST 3 À L'AÉROPORT

1. Il est une heure.
2. Il est trois heures dix.
3. Il est quatre heures et quart.
4. Il est cinq heures et demie.
5. Il est sept heures moins le quart.
6. Il est dix heures moins vingt.

Count ½ mistake for **every** wrong word. If you have 2 or more mistakes, review how to tell time in the Vocabulaires on pages 24–25 and 26 of your text.

TEST 4 LA CARTE DU TEMPS

1. il pleut	4. il fait froid
2. il fait mauvais	5. il fait chaud
3. il fait frais	6. il neige

If you have more than 1 incorrect **word**, review the weather expressions in the Vocabulaire on page 36 of your text.

TEST 5 PRÉSENTATIONS

1. Bonjour!
2. Je m'appelle . . .
3. Ça va (bien; très bien; mal; très mal; comme ci, comme ça)
4. Au revoir!

If you have any mistakes in:
Items 1 and 4: review the greetings in the Vocabulaire on page 4;
Items 2–3: review the expressions in the Vocabulaire on page 9.

TEST 6 EN FRANÇAIS

1. Quelle heure est-il?
2. Quel jour est-ce?
3. Quel temps fait-il?
4. Moi aussi.
5. Merci.
6. Pardon.

If you have any incorrect words in:
Item 1: review the Vocabulaire on page 24;
Item 2: review the Vocabulaire on page 30;
Item 3: review the Vocabulaire on page 36;
Item 4: review the Vocabulaire on page 9;
Items 5–6: review the Vocabulaire on page 16.

TEST 7 OUI OU NON?

oui: 1, 2, 5, 7, 8, 10
non: 3, 4, 6, 9

If you made any mistakes, reread the Notes culturelles of this unit.

TESTS DE CONTRÔLE ANSWERS • UNITÉ 1

Answers

Interpretation

TEST 1   OÙ SONT-ILS?

1. est, sont
2. suis, sommes
3. es, êtes
4. est, sont

If you made any mistakes, review the forms of **être** in Structure A, page 74 of your text.

TEST 2   ACTIVITÉS

1. parlent, habitent
2. téléphonons, invitons
3. chante, danse
4. skie, joue
5. travaillez, voyagez
6. dînes, regardes

If you made 2 or more mistakes, review the forms of **–er** verbs in Structure B, page 67 of your text.

TEST 3   QUESTIONS

1. tu nages
2. vous chantez
3. vous parlez
4. tu aimes
5. vous travaillez
6. tu travailles

If you made any mistakes, review Structure A, page 66 of your text.

TEST 4   NON!

1. il ne dîne pas
2. elle ne danse pas
3. elles ne travaillent pas
4. ils ne dînent pas
5. ils ne skient pas

If you make any mistakes with the pronouns, review Structure A, page 52.
If you made any mistakes in the negative words, review Structure D, page 48.

TEST 5   SUZANNE

1. Où est-ce que tu habites?
2. Quand est-ce que tu rentres en France?
3. Comment est-ce que tu joues au tennis?
4. À quelle heure est-ce que tu dînes?

If you made any mistakes, review Structure B, page 62.

TEST 6   QU'EST-CE QU'ILS FONT?

1. dîne
2. regarde
3. étudie
4. parle
5. visite
6. danse
7. écoute
8. chante
9. joue
10. skie
11. nage

If you made 2 or more mistakes, review the Vocabulaires on pages 44–45, 54, and 68.

TEST 7   UN MAUVAIS ENREGISTREMENT

1. Où
2. À quelle heure (Quand)
3. Avec qui
4. Comment
5. À qui
6. Avec qui
7. Quand

If you made any mistakes in:
Items 1, 2, 4, 7: review Structure B, page 62;
Items 3, 5, 6: review Structure C, page 76.

TEST 8   EN FRANÇAIS

1. J'aime voyager.
2. Est-ce que tu aimes (vous aimez) parler français? *or:* Aimes-tu (aimez-vous) parler français?
3. Pourquoi est-ce que tu étudies (vous étudiez)? *or:* Pourquoi étudies-tu (étudiez-vous)?
4. Où est-ce que Charles habite? (Où habite Charles?)
5. Qui parle?
6. Qui aime jouer au tennis?

If you made any mistakes in:
Item 1: review Structure C, page 69;
Item 2: review Structure C, page 69 and Structure B, page 55 *or:* Structure D, page 76;
Items 3–4: review Structure B, page 62 *or:* Structure D, page 76;
Items 5–6: review Structure B, page 75.

228

TEST 9 OUI OU NON?

oui: 1, 3, 4, 5, 8, 10
non: 2, 6, 7, 9

If you made any mistakes, reread the Notes culturelles of this unit.

TESTS DE CONTRÔLE ANSWERS • UNITÉ 2

Answers

Interpretation

TEST 1 COMMENT VOYAGENT-ILS?

1. ont
2. a
3. ai
4. as
5. avons
6. avez

If you made any mistakes, review the forms of **avoir** in Structure B, page 105 of your text.

TEST 2 QUI EST-CE?

1. le
2. la
3. l'
4. les
5. les

If you made any mistakes, review the forms of the definite article in Structure B, page 96 and Structure B, page 118.

TEST 3 LE MEETING FRANCO-AMÉRICAIN

1. une étudiante américaine
2. un professeur français
3. des étudiants américains
4. des artistes français
5. des journalistes américaines
6. des photographes français

If you made any mistakes in the indefinite articles, review Structure A, page 94 and Structure B, page 118.
If you made any mistakes in the forms of the adjectives, review Structure C, page 97 and Structure C, page 120.
If you made any mistakes in the position of the adjectives, review Structure A, page 110.

TEST 4 LEURS POSSESSIONS

1. une guitare espagnole
2. un téléviseur anglais
3. des disques anglais
4. une grande auto
5. un petit vélo
6. un joli sac

If you made any mistakes in the forms of the adjectives, review Structure C, page 97 and Structure C, page 120.
If you made any mistakes in the position of the adjectives, review Structure A, page 110.

TEST 5 ANTOINETTE

1. Elle est
2. C'est
3. Elle est
4. Elle est
5. C'est
6. C'est

If you made any mistakes, review Structure B, page 112.

TEST 6 ÉQUATIONS

1. lui
2. elle
3. eux
4. elles
5. vous
6. nous

If you made any mistakes, review Structure B, page 127.

TEST 7 TOURISME

1. la, l'
2. le, les
3. le, la
4. l', le

If you made any mistakes, review Structure A, page 116.

TEST 8 EN FRANÇAIS

1. Je n'ai pas de voiture (d'auto).
2. Charles n'a pas de disques.
3. Il y a une guitare ici.
4. Il y a des livres là-bas.
5. C'est vrai! Ce n'est pas difficile!

If you made any mistakes in the underlined words in:
Items 1, 2: review Structure C, page 105;
Items 3, 4: review Structure D, page 121;
Item 5: review Structure A, page 126.

TEST 9   LES OBJETS PERDUS

1. un sac	6. un vélo (une bicyclette)
2. une montre	7. un électrophone
3. un appareil-photo	8. un disque
4. un livre	9. une guitare
5. une raquette	10. une caméra

If you made 2 or more mistakes, review the Vocabulaire on pages 102–103.

TEST 10   LE CONTRAIRE!

1. petit   4. bon
2. brun   5. intéressant, drôle, amusant, sympathique
3. bête   6. blanc

If you made any mistakes, review the Vocabulaires on pages 98, 104, and 110–111.

TEST 11   GÉOGRAPHIE

1. Canada, canadien   3. Angleterre, anglais
2. Allemagne, allemand   4. États-Unis, américain

If you made any mistakes, review the Vocabulaire on page 116.

TEST 12   VRAI OU FAUX?

vrai: 2, 6, 7, 8, 9
faux: 1, 3, 4, 5, 10

If you made any mistakes, reread the Notes culturelles of this unit.

TESTS DE CONTRÔLE ANSWERS • UNITÉ 3

Answers

Interpretation

TEST 1   LES VACANCES

1. va   3. vont   5. va   7. allez
2. vais   4. vas   6. vont   8. allons

If you made any mistakes, review Structure A, page 134.

TEST 2   RENCONTRES

1. au, du   4. aux, des
2. à la, de la   5. au, du
3. à l', de l'

If you made any mistakes in the forms of **à** + definite article, review Structure B, page 136.
If you made any mistakes in the forms of **de** +definite article, review Structure C, page 144.

TEST 3   WEEK-END

1. chez moi   4. chez eux
2. chez lui   5. chez elle
3. chez eux   6. chez elles

If you made any mistakes in the use of **chez**, review Structure A, page 142.
If you made any mistakes in the forms of the stress pronouns, review Structure B, page 127.

TEST 4   VIVE LA FAMILLE!

1. sa, ses	5. nos, nos	9. sa
2. ses, son	6. ton, ta	10. ses
3. leur	7. ma	11. sa
4. son	8. votre, votre	12. leurs

If you made 3 or more mistakes, review Structure B, page 165.

TEST 5   GEORGES ET ANNETTE

1. est, a, va (est), va
2. a, est, a, va, va (est)

If you made any mistakes with **a**, review Structure B, page 153.
If you made any mistakes with **va**, review Structure A, page 134 and Structure C, page 137.

TEST 6   EN FRANÇAIS

1. Je vais nager.
2. Quand est-ce que tu vas (vous allez) étudier?
3. Je joue au tennis, mais je ne joue pas au ping-pong.
4. Hélène joue du piano.
5. Quel âge as-tu, Pierre?
6. J'ai 16 ans et mon frère a 17 ans.
7. La guitare est à François.
8. La raquette n'est pas à toi (à vous). Elle est à moi.

If you made any mistakes in:
Items 1–2: review Structure C, page 137;
Items 3–4: review Structure D, page 145;
Items 5–6: review Structure B, page 153;
Items 7–8: review Structure C, page 166.

TEST 7   OÙ?

1. G	3. H	5. F	7. I
2. E	4. B	6. A	8. D

If you made any mistakes, review the Vocabulaire on page 135.

TEST 8   RELATIONS FAMILIALES

1. tante	3. cousin	5. grands-parents
2. grand-père	4. cousine	

If you made any mistakes, review the Vocabulaire on pages 152–153.

TEST 9   CATÉGORIES

1. la plage, la piscine
2. la bibliothèque, l'école
3. le piano, le violon, la guitare
4. les échecs, les cartes, le Monopoly
5. le chien, le chat, le cheval
6. le poisson, l'oiseau

If you made 2 or more mistakes, review:
Items 1–2: the Vocabulaire on page 135;
Items 3–4: the Vocabulaire on page 145;
Items 5–6: the Vocabulaire on page 157.

TEST 10   VRAI OU FAUX?

vrai: 2, 3, 6, 7, 8
faux: 1, 4, 5

If you made 2 or more mistakes, reread the Notes culturelles of this unit.

TESTS DE CONTRÔLE ANSWERS • UNITÉ 4

Answers

Interpretation

TEST 1   AU MARCHÉ AUX PUCES

1. achète, achète, achetons, achetez
2. choisissons, choisit, choisis, choisissez
3. vend, vendent, vends, vends

If you made any mistakes with:
acheter: review Structure A, page 193;
choisir: review Structure A, page 184;
vendre: review Structure A, page 214.

TEST 2   AU GRAND MAGASIN

1. quels, ces	4. Quelles, ces
2. quelle, cette	5. quel, ce
3. quel, cet	

If you made any mistakes with the forms of:
quel: review Structure C, page 194;
ce: review Structure D, page 195.

TEST 3   JACQUES, HENRI ET LUCIE

1. nouvel, nouvelle, nouveaux, nouvelles
2. vieux, vieil, vieux, vieille
3. bel, belle, belles, beaux

If you made 2 or more mistakes, review Structure A, page 201.

TEST 4   COMPARAISONS

1. Paul est <u>plus grand que</u> Suzanne.
2. Marc est <u>moins grand qu'</u>Hélène.
3. Suzanne est <u>aussi grande qu'</u>Hélène.
4. Paul est <u>moins gros que</u> Marc.
5. Hélène est <u>aussi mince que</u> Suzanne.

If you made any mistakes with the underlined words, review Structure B, page 202.

TEST 5   LOGIQUE

1. a faim   4. a soif
2. a froid   5. a envie (a besoin)
3. a chaud   6. a envie (a besoin)

If you made any mistakes in:
Items 1–4: review Structure A, page 208;
Items 5–6: review Structure B, page 209.

TEST 6   QU'EST-CE QU'ON FAIT?

1. on nage   3. on étudie   5. on achète
2. on joue   4. on dîne

If you made any mistakes, review Structure B, page 215.

TEST 7   DANS QUEL PAYS?

1. Albert va <u>au Canada</u>.
2. J'ai un oncle <u>aux États-Unis</u>.
3. On parle français <u>en Suisse</u>.
4. Je vais aller <u>au Chili</u>.

If you made any mistakes with the underlined words, review Structure C, page 217.

TEST 8   EN FRANÇAIS

1. <u>Qu'est-ce que</u> tu achètes (vous achetez)?
2. <u>Qu'est-ce que</u> tu regardes (vous regardez)?
3. <u>Combien de disques</u> est-ce que tu as (vous avez)? *or:*
<u>Combien de disques</u> as-tu (avez-vous)?
4. <u>Combien d'argent</u> est-ce que tu as (vous avez)? *or:*
<u>Combien d'argent</u> as-tu (avez-vous)?

If you made any mistakes with the underlined words in:
Items 1 and 2: review Structure B, page 185;
Items 3 and 4: review Structure D, page 188.

TEST 9   LE VERBE EXACT

1. coûte   3. maigrit   5. vend   7. choisit
2. réussit   4. finit   6. attend   8. entend

If you made 2 or more mistakes, review the Vocabulaires on pages 184, 187, and 214.

TEST 10   LA FAMILLE ALLARD

1. un chapeau   6. une robe   11. une jupe
2. un manteau   7. des bas   12. une cravate
3. un pantalon   8. un anorak   13. une chemise
4. des chaussures   9. des bottes   14. une veste
5. des lunettes   10. un pull

If you made 3 or more mistakes, review the Vocabulaires on pages 192 and 200.

TEST 11   VRAI OU FAUX?

vrai: 1, 2, 3, 5, 7
faux: 4, 6, 8

If you made 2 or more mistakes, reread the Notes culturelles of this unit.

TESTS DE CONTRÔLE ANSWERS • UNITÉ 5

Answers

Interpretation

TEST 1   OPINIONS PERSONNELLES

1. Le cinéma . . .   4. La musique . . .
2. Les comédies . . .   5. Les filles . . .
3. Les acteurs . . .   6. La télévision . . .

If you made any mistakes in the use of the articles, review Structure A, page 224.

TEST 2   AU RESTAURANT

1. de la glace
2. du poulet
3. de poisson
4. de soupe
5. de l'orangeade
6. du thé
7. d'eau minérale
8. de la salade

If you made any mistakes in:
Items 1, 2, 5, 6, 8: review Structure A, page 230;
Items 3, 4, 7: review Structure B, page 231.

TEST 3   AU CHOIX

1. la
2. du
3. une
4. du
5. Le
6. un
7. de la
8. Le

If you made any mistakes, review Structure B, page 239.

TEST 4   À LA SURPRISE-PARTIE

1. préfère, préfère, préférons, préfères
2. boit, boivent, buvons, buvez
3. prenons, prends, prennent, prenez

If you made any mistakes with:
préférer: review Structure B, page 225;
boire: review Structure C, page 232;
prendre: review Structure A, page 252.

TEST 5   WEEK-END

1. faisons de la photo
2. faites de la danse
3. font du ski
4. fais du théâtre
5. fait de la gymnastique
6. fais du vélo

If you made any mistakes in the forms of **faire**, review Structure A, page 244.
If you made any mistakes in the underlined articles, review Structure B, page 245.

TEST 6   INVITATIONS

1. viens, venons
2. vient, viennent
3. viens, venez

If you made any mistakes, review Structure C, page 247.

TEST 7   CONSEILS

1. choisis, choisissez
2. regarde, ne regardez pas
3. ne vends pas, vendez
4. ne va pas, allez
5. bois, ne buvez pas
6. fais, faites

If you made 2 or more mistakes, review Structure A, page 238.

TEST 8   EN FRANÇAIS

1. Je n'aime pas le théâtre.
2. Est-ce que tu aimes (vous aimez) les films (le cinéma) français?
3. Le samedi, je n'étudie pas.
4. Le lundi, je vais au cinéma.
5. Allons à la plage!
6. Jouons au volleyball!
7. Je viens d'inviter Françoise.

Items 1–2: If you left out the definite article, review Structure A, page 224.
Items 3–4: If you left out the definite article, review Structure C, page 226.
Items 5–6: If you made any mistakes, review Structure B, page 254.
Item 7: If you made any mistakes in the underlined words, review Structure C, page 254.

TEST 9   LE MENU

1. le jambon
2. le poulet
3. le fromage
4. le pain
5. le poisson
6. le café
7. le thé
8. le lait

If you made 2 or more mistakes, review the Vocabulaires on pages 229 and 232–233.

TEST 10   LE MOT EXACT

1. une pièce
2. dessins animés
3. boit
4. commander
5. la natation
6. dessins
7. apprend
8. comprenez
9. des projets
10. font
11. faisons
12. vais
13. le bus

If you made any mistakes in:
Items 1–2: review the Vocabulaire on page 223;
Items 3–4: review the Vocabulaire on page 229;
Items 5–6: review the Vocabulaire on page 237;
Items 7–8: review the Vocabulaire on page 252;
Items 9–10: review the Vocabulaire on page 245;
Items 11–13: review the Vocabulaire on page 253.

TEST 11 VRAI OU FAUX?

vrai: 1, 5, 6, 9
faux: 2, 3, 4, 7, 8

If you made any mistakes, reread the Notes culturelles of this unit.

TESTS DE CONTRÔLE ANSWERS • UNITÉ 6

Answers

Interpretation

TEST 1   WEEK-END

1. voit, voyons, voient, vois, voyez
2. mets, mettent, mettons, mets
3. sort, sortent, sors, sortez

If you made any mistakes with:
voir: review Structure A, page 289;
mettre: review Structure A, page 296;
sortir: review Structure A, page 302.

TEST 2   À LA SURPRISE-PARTIE

1. a dansé	4. as dansé	7. ont dansé
2. a dansé	5. avons dansé	8. ont dansé
3. ai dansé	6. avez dansé	

If you made any mistakes, review Structure A, page 280.

TEST 3   VACANCES

1. a voyagé, n'a pas travaillé
2. ont travaillé, n'ont pas acheté
3. a maigri, n'a pas grossi
4. a vendu, n'a pas choisi
5. avons invité, n'avons pas attendu
6. ai voyagé, n'ai pas perdu

If you made any mistakes with the past participles of:
-er verbs: review Structure A, page 280;
-ir verbs: review Structure B, page 297;
-re verbs: review Structure B, page 290.
If you made any mistakes with the negative construction, review Structure B, page 282.

TEST 4   HIER

1. a fait	4. ai vu
2. a eu	5. a pris
3. a bu	6. a mis

If you made any mistakes in:
Item 1: review Structure C, page 284;
Items 2–4: review Structure C, page 291;
Items 5–6: review Structure C, page 298.

TEST 5   VOYAGES

1. est allée	4. sont allés	7. sommes allés
2. sont allées	5. suis allée	8. es allée
3. est allé	6. suis allé	

If you made 2 or more mistakes, review Structure B, page 303.

TEST 6   LE VOYAGE DE PHILIPPE

1. Il est	3. Il est	5. Il est	7. Il a	9. Il est
2. Il a	4. Il a	6. Il a	8. Il est	10. Il a

If you made 2 or more mistakes, review Structure B, page 303 and the Vocabulaire on page 305.

TEST 7   EN FRANÇAIS

1. J'ai les yeux bleus.
2. Paul a mal à la tête.
3. Est-ce que tu as (vous avez) téléphoné au médecin? *or:* As-tu (Avez-vous) téléphoné au médecin?
4. Est-ce que tu as (vous avez) parlé à Marc? *or:* As-tu (Avez-vous) parlé à Marc?

If you made any mistakes in:
Items 1–2: review Structure C, page 274;
Items 3–4: review Structure D, page 292.

TEST 8   L'APPARTEMENT DES BOUVIER

1. cuisine	5. salon	8. lit
2. salle à manger	6. table	9. bureau
3. salle de bains	7. chaise	10. fauteuil
4. chambre		

If you made 3 or more mistakes, review the Vocabulaire on page 281.

TEST 9   ANATOMIE

1. dents
2. yeux, cheveux
3. oreilles
4. pieds, jambes
5. ventre
6. bouche
7. gorge, tête
8. mains

If you made 3 or more mistakes, review the Vocabulaire on page 275.

TEST 10   VRAI OU FAUX?

vrai: 1, 4, 5, 7, 8
faux: 2, 3, 6

If you made any mistakes, reread the Notes culturelles of this unit.

TESTS DE CONTRÔLE ANSWERS • UNITÉ 7

Answers

Interpretation

TEST 1   LES AMIS

1. connaissons, connais, connaît, connaissez
2. savez, savons, sais, savent
3. écrivons, écris, écrivent, écrivez
4. lit, lisent, lisons, lisez
5. dis, dit, dites

If you made any mistakes with:
connaître: review Structure B, page 320;
savoir: review Structure C, page 329;
dire, lire, écrire: review Structure A, page 343.

TEST 2   ZUT ALORS!

1. n'a pas lu, n'ont pas lu
2. n'a pas dit, n'ai pas dit
3. n'a pas écrit, n'avons pas écrit
4. n'ai pas su, n'as pas su
5. n'a pas connu, n'ai pas connu

If you made any mistakes with the past participles of:
dire, lire, écrire: review Structure A, page 343;
savoir: review Structure C, page 329;
connaître: review Structure A, page 320.
If you made any mistakes in the formation of the negative **passé composé**, review Structure B, page 282.

TEST 3   LES QUESTIONS DE JACQUES

1. tu connais
2. tu sais
3. tu sais
4. tu connais
5. tu connais
6. tu sais
7. tu sais
8. tu sais

If you made any mistakes, review Structure D, page 330.

TEST 4   NON!

1. ne fais rien
2. n'invite personne
3. ne regarde rien
4. ne parle à personne
5. ne parle de rien
6. ne connais personne

If you made any mistakes in the forms and position of the negative words, review Structure A, page 334.

TEST 5   DIALOGUES

1. me, te
2. m', t'
3. te, me
4. nous, vous

If you made any mistakes, review Structure B, page 313.

TEST 6   PRÊTS

1. la prête
2. ne la prête pas
3. le prête
4. les prête
5. ne les prête pas
6. ne le prête pas

If you made any mistakes in the form or position of the direct object pronoun, review Structure B, page 321.

TEST 7   JACQUELINE

1. lui parle
2. lui parle
3. leur parle
4. leur parle
5. ne leur parle pas
6. ne lui parle pas

If you made any mistakes in the form or position of the indirect object pronoun, review Structure B, page 335.

TEST 8 L'AMIE IDÉALE

1. l'	5. l'	9. les
2. lui	6. lui	10. leur
3. lui	7. lui	11. lui
4. l'	8. lui	12. l'

If you made any mistakes in:
Items 1, 4, 5, 9, 12: review Structure B, page 321.
Items 2, 3, 6, 7, 8, 10, 11: review Structure B, page 335.

TEST 9 EN FRANÇAIS

1. Mon cousin Pierre est journaliste.
2. Madame Dumas est professeur.
3. Je n'étudie jamais.
4. Est-ce que tu invites quelqu'un?
5. Est-ce que tu fais quelque chose maintenant?
6. Invite-moi au restaurant.
7. Invite-la aussi.

Items 1–2: If you made any mistakes, review Structure C, page 315.
Item 3: If you made any mistakes in the negative construction, review Structure A, page 312.
Items 4–5: If you made any mistakes in the underlined words, review Structure A, page 334.
Items 6–7: If you made any mistakes, review Structure B, page 328.

TEST 10 LE MOT EXACT

1. serveuse	6. montre
2. vendeur	7. rendre visite à
3. aide	8. le journal
4. prêter	9. la vérité
5. cherche	

If you made any mistakes in:
Items 1–2: review the Vocabulaire on page 315;
Items 3–5: review the Vocabulaire on page 314;
Items 6–7: review the Vocabulaire on page 336;
Items 8–9: review the Vocabulaire on page 344.

TEST 11 VRAI OU FAUX?

vrai: 2, 5, 6
faux: 1, 3, 4

If you made any mistakes, reread the Notes culturelles of this unit.

TESTS DE CONTRÔLE ANSWERS • UNITÉ 8

Answers

Interpretation

TEST 1 À PARIS

1. pouvons	5. peut
2. pouvez	6. peuvent
3. peux	7. peut
4. peux	8. peuvent

If you made any mistakes, review Structure A, page 364.

TEST 2 TOURISME

1. voulez, devez	4. veut, doit
2. voulons, devons	5. veux, dois
3. veulent, doivent	6. veux, dois

If you made any mistakes with:
vouloir: review Structure A, page 364;
devoir: review Structure B, page 366.

TEST 3 LA PERSONNALITÉ ET L'EXPRESSION

1. stupidement	4. calmement
2. idiotement	5. énergiquement
3. originalement	

If you made any mistakes, review Structure A, page 372.

TEST 4 OÙ?

1. y est	4. y dîne
2. y est	5. n'y va pas
3. n'y est pas	6. y est allée

If you made any mistakes, review Structure A, page 378.

TEST 5 AU RÉGIME

1. en mange
2. n'en mange pas
3. en boit
4. n'en boit pas
5. en prend
6. achète

If you made any mistakes, review Structure C, page 389.

TEST 6 EXCÈS ALIMENTAIRES

1. trop
2. trop de
3. trop de
4. trop
5. trop
6. trop d'
7. trop de
8. trop de

If you made any mistakes, review Structure B, page 373 and Structure C, page 374.

TEST 7 JACQUES AUSSI

1. en a un
2. en a une
3. en a dix
4. en a six
5. en a beaucoup
6. en a peu

If you made any mistakes, review Structure A, page 395 and Structure B, page 396.

TEST 8 L'INTRUS

1. tomate
2. œuf
3. riz
4. pommes de terre
5. beurre
6. repas

If you made any mistakes, review the Vocabulaire on page 388.

TEST 9 À TABLE

1. l'assiette
2. le verre
3. la cuillère
4. le couteau
5. la fourchette
6. la bouteille
7. la tasse
8. la serviette

If you made 2 or more mistakes, review the Vocabulaires on pages 393 and 394.

TEST 10 VRAI OU FAUX?

vrai: 2, 3, 4, 6, 7, 8
faux: 1, 5

If you made any mistakes, reread the Notes culturelles of this unit.